KB178255

개연성 관리국

개연성 관리국 1

**발 행** | 2024년 1월 9일
**저 자** | 정해선
**펴낸이** | 한건희
**펴낸곳** | 주식회사 부크크
**출판사등록** | 2014.07.15.(제2014-16호)
**주 소** | 서울특별시 금천구 가산디지털1로 119 SK트윈타워 A동 305호
**전 화** | 1670-8316
**이메일** | info@bookk.co.kr

ISBN | 979-11-410-6569-0

www.bookk.co.kr

# 개연성 관리국

정해선 지음

# CONTENT

글의 시작에 앞서

이 책은 뭣도 모르고 책 출판 동아리에 들어온 한 여고생으로부터 태어났으면, 이 책이 나의 또 다른 시작이 될 것입니다.
하여 한 여고생의 도전을, 시작을 함께 해주신 여러분들에게 깊은 감사의 말을 전합니다.

미숙하고 어리숙한 나의 이야기에, 아직 많이 부족한 나의 글솜씨에 고개를 갸웃거릴지도 모릅니다. 다만 그럴 때마다 아직 머리에 피도 마르지 않은 자칭 작가라는 자가 썼다는 것을 기억해주시길 부탁드립니다.

언젠가 나의 이야기가 그 아름다움을 빛내고 나의 글솜씨가 자신이 원하는 모든 걸 창조하게 될 어느 날을 기원하며,

다시 한번 이 여정의 첫걸음을 함께 해주신 여러분에게 감사 인사를 전합니다.

# 제1화 사랑스러운 세계

사람들은 합리적이고 그만큼 이기적이다. 이 세상이 자신들만이 존재하는 것처럼, 고작 사는 100년 인생을 아득바득 열심히 노력하고 그 짧은 시간 동안 서로를 미워하기도 하고 사랑하기도 한다. 참으로 사랑스럽지 않은가? 그 오래전 그분이 그들의 이야기를 응원하고 기록하여 존재들에게서부터 사람들을 해치지 못하게 만든 것은 신의 변덕이자 실수였고 연민이자 사랑이었다.

이 세계에는 증명하지 못하였지만 실제로 존재하여 살아가고 있는 것들이 있다. 사람들은 그것을 신화 혹은 도시 괴담이라는 이름을 붙여왔다. 마치 존재하지 않은 것처럼, 오래전 사람들의 간절한 염원이 만들어낸 허구라며 코웃음을 치기도 했다. 하지만 살아가다 보면 예상과는 전혀 다른, 그동안의 삶을 완전히 반전시킬 사실들도 있다. 가령, 도시 괴담이나 신화에서나 존재하는 또 다른 세계가 있고, 종종 그것들이 사람들 사이에 섞여 살아가고 있다는 사실처럼. 그리고 화련도 이런 존재 중 하나였다.

"아, 가기 싫어. 이 빌어먹을 월요일"

암막 커튼 사이로 들어온 햇빛에 잠이 깬 화련은 반사적으로 욕지거리를 입으로 뱉었다. 귀찮은 몸을 애써 일으켜 세워 아직 몽롱한 정신을 깨우기 위해 커튼을 걷었다. 창문으로 사랑스럽기 그지없는 아침 햇살이 화련을 반겼지만,

"빌어먹을 아침"

월요일 아침, 출근을 위해 기상한 직장인에게는 그다지 감상을 얻어내지 못하였다. 사람이 아닌 존재라고 해서 화련의 삶이 그들과 크게 다르지 않았다. 화련 또한 출근해야 하는 아침이, 특히 월요일 아침이 유난히 싫은 그저 직장인이었으니까. 화련은 습관처럼 이불을 정리하고 화장실로 들어갔다. 오늘도 화련의 이야기는 시작되었고, 훌륭한 이야기는 아니어도 읽어줄 만한 이야기를 만들기 위해 화련은 오늘도 감정과 욕망을 누르고 몸을 움직였다. 감정과 욕망에 충실하고 열정으로 하루를 시작하는 시기는 이미 훌쩍 지났고, 그녀는 꽤 오랜 시간을 존재해왔다. 옷장에서 대충 깔끔한 옷을 집어 들어 거울 앞으로 향했다. 허리까지 내려오는 밤하늘을 담은 듯하게 검은 머리카락과 도자기처럼 희

고, 하늘을 닮은 푸른색 눈이 매력적이었다. 평균 키보다 작고 왜소한 몸집은 그녀의 연약함을 더욱 돋 보이게 만들었고, 자칫 하여 넘어진다면 도자기처럼 산산 조각날 것 같았다. 물론 연약해 보이는 외형 탓에 무시를 당한 적이 몇 번 있어 마음 들어하지 않았으나, 중요한 것은 화련은 길에서 마주친다면 한 번쯤 돌아보게 할 만큼 매력적인 여성이었다.

"다녀오겠습니다."

얇지도 두껍지도 않은 단정한 자켓을 하나 걸치고 현관을 나서며, 화련은 아무도 없는 집에 습관처럼 인사했다. 당연하지만 답은 들려오지 않았다. 문이 열리며 드러난 화련은 분홍빛으로 가득한 하늘을 보며 평소와 같은 어느 날을 맞이하였다. 참고로 말하자면 분홍빛 하늘은 어느 사랑스러운 비유가 아니라 사실이었다.

이 세계는 많은 사랑스럽고 매력적인 것들이 여럿 존재하지만, 그중 하나는 이 솜사탕을 닮은 하늘이라고 말할 수 있을 것이다. 달콤할 것 같은 색의 하늘과 나무들 사이에서 즐겁게 날아다니는 새와 보기만 해도 행복한 미소를 짓고 노래를 부르고 있는 요정들과 정령들, 이 광경을 처음 본 사람은 분명 아름다운 것들로 넘쳐나는 이 세계에게 사랑에 빠져 짝사랑을 자처할 것이다.

"이어폰이 어딨더라"

물론 화련도 이 세계를 본 첫 순간 지독한 짝사랑을 예정하고, 다짐했다.

"여깄다."

화련은 가방을 뒤적거리더니 이내 이어폰을 꺼내 귀에 꼽았다. 곧이어 신나는 음악을 재생한 화련은 마치 혼자 살아가는 것처럼 세상과 단절하는 것처럼 볼륨을 크게 올리고 목적지를 향해 거침없이 걷기 시작했다. 여전히 이 세계를 사랑하지만, 모두가 사랑스러운 삶을 살아가는 세계 속 그렇지 못한 이방인의 삶은 그다지 사랑스럽지 못하였고, 그녀는 그저 나이가 들었던 것뿐이다. 여전히 어린 외모를 유지하고 있지만, 지나간 세월의 흔적은 그녀에게 확실히 남아있었다.

화련은 신나는 음악을 들으며 점점 목적지, 그러니까 자신의 직장에 점점 가까워지고 있었다. 가기 싫은 마음과 달리 그녀의 걸음은 늦춰지지 않았다. 그러다 문득 고개를 들어 자신의 직장을 바라보았다.

“개연성 관리국..“

도시 속 다른 공간처럼 웅장하고 위엄있게 자신의 자리를 지키고 있는 건물, 그리고 건물의 간판에는 **“개연성 관리국“** 이라는 문구가 쓰여있었다. 언제부터 존재하고 왜 생겨났는지, 누가 만들었는지조차 모를 만큼 이 세계에서 기록된 가장 오래된 기관, 개연성 관리국 혹은 연구소라고 불리는 이 세계의 모든 이야기를 기록하고 통제하는 이 세계의 유일한 기관, 개연성 관리국 이곳은 화련이 근무하고 있는 직장이었다.

“..오늘도 화이팅“

화련의 발걸음은 오래 머물지 않았다. 한숨을 삼키고 일부로 밝은 목소리로 자신에게 건네는 응원을 말을 뱉었다.

"어서 오십시오. 좋은 아침입니다."

화련이 관리국 정면에 도착했을 때쯤 익숙한 목소리가 아침 인사를 건넸다. 동굴처럼 깊고 무게감 있는 목소리는 위협적으로 느껴질 정도였다.

"네, 안녕하세요. 아침부터 수고가 많으시네요"

화련은 자연스럽게 자신에게 인사를 건넨 목소리의 주인공을 쳐다보았다. 정문을 지키고 있는 수십의 집행부 팀원 중에서도 압도적인 위압감을 풍기는 남성은 특유 무표정한 표정으로 화련을 내려다보고 있었다. 흑운(黑雲), 화련과 인사를 나누고 있는 남성의 이름이었다. 190cm의 큰 키와 칠흑같이 어두운 긴 머리카락과 검은 눈동자, 까무잡잡한 피부, 집행부의 보안팀의 검은색 제복을 입은 남성은 그에겐 미안한 말이지만 조금은 위협적이고 무섭게 생긴 외형을 가지고 있었다. 특히 왜소한 체구의 화련과 함께 있으니 분위기가 왜인지 험악해 보이기까지 했다.

"오늘도 팀장님이 서 계시네요. 노동청에 신고하세요."

"충고 감사합니다. 새겨 들겠습니다."

화련이 던진 농담에 흑운은 짧게 입꼬리를 끌어올렸다. 농담에도 그답게 무뚝뚝함이 느껴지는 답이었다. 그 답에 화련은 편안한 미소로 화답했다. 솔직히 처음에는 그녀도 흑운의 외형에 두려움을 느껴 쳐다보기만 해도 깜짝하고 놀랄 때가 있었지만, 화련은 이제 그가 얼마나 선하고 올곧은 이인지 알고 있다. 그렇기에 화련은 그에게 농담을 건네는 것을 고민하지 않았다.

"신분증 여깄습니다."

“예, 들어가십시오. 오늘 하루도 무사히 보내시길 바랍니다.”

화련의 신분증을 확인한 흑운은 관리국의 문을 열어주었다. 문득 화련은 그가 얼마나 고지식한가에 대해서도 생각이 들었다. 그는 단 한 번도 화련의 신분증을 확인하지 않은 날이 없었다. 그 오랜 시간 출근하는 모두에게 흑운은 지위 상관없이 신분증을 요구하곤 했다.

“네, 팀장님도 수고하세요.”

오랜 시간이 지나면서, 변하지 않은 것도, 있음을 문득 생각했던 그녀였다. 물론 실없는 생각이라며 금방 머릿속에서 지워버렸지만.

관리국 내부로 들어온 화련은 자신의 부서로 향했다. 관리국 내에서도 가장 안쪽 있는 곳이기 때문에 화련은 관리국 내부로 들어왔음에도 한참을 걸어야 했다. 워낙 관리국이 컸기 때문이기도 했다. 가장 큰 총괄부서를 지나고 마케팅 부서를 지나고 관리팀을 지나고 한참을 걸어가다 보면 나오는 정말 구석에 박혀 있는 곳에 있는 그녀의 일터가 보였다.

“아후, 멀어 이러니까 출근하기가 싫어지지.”

작은 불편을 늘어놓은 화련은 사무실의 문을 열고 들어갔다. 겉에 보는 것보단 쾌적한 공간에서 달달한 코코아 향기가 그녀를 반겼다. 화련은 바로 문 앞 테이블에서 놓여 있는 코코아 한 잔과 비어있는 잔 하나를 발견하였다. 평범하지 않은 광경에 자신도 모르게 발걸음을 멈췄던 화련은 테이블로 다가갔다. 자세히 보니 테이블 위에 정갈한 글씨로 적혀있는 메모지가 보였다.

*[최후의 만찬으로 정리할 시간이 없어, 처리 부탁드립니다. 누군지 모르겠으나 아마 아직 나머지 코코아는 따뜻할 거니 한잔해. 나는 간부 소집회의 참여한다. 이따 보자. 아 그리고 좋은 아침 - 파엘루스]*

화련은 한참 메모지를 바라보다 들고 있던 가방을 자리에 가져다 놓은 뒤 창가에 있는 테이블에 앉아 자신의 상관이 남기고 간 코코아를 한 모금 마셨다. 저절로 미소가 지어질 만큼 달콤한 코코아는 여전히 따뜻하였다.

".. 하, 오늘만 치워준다."

코코아가 담긴 잔을 자기 자리에 가져다 놓고 화련은 나머지 잔을 정리했다. 평소 같았으면 절대 해주지 않을 선행이었지만, 파엘루스가 남기고 간 코코아는 여전히 따뜻했고 달콤했기에 그녀는 기꺼이 그의 잔을 치워주었다. 무엇보다 화련은 그녀의 상관이 오늘 어떤 회의 참가했는지 알고 있었다. 파엘루스의 정갈한 글씨가 적혀있는 메모지 아래 작은 공간에 화련은 자신의 글씨도 짧게나마 적어보았다. 그리곤 그 메모지를 팀장이라는 명패가 있는 자리 책상에 붙여주고 자신의 자리로 돌아왔다.

자리에 앉았을 때 시계를 보니 오전 9시 2분으로 출근 시간인 9시를 약간 넘긴 시간이었다. 평소보다 조금 빠르게 출근한 이유가 저 코코아 잔을 치우기 위함이었는지 생각이 들었지만, 화련은 고개를 양쪽을 흔들며 자리에 있는 컴퓨터를 켰다. 오늘은 화련을 제외한 팀원들은 오후나 되어서 출근을 하기에 그전까지 이 아담한 사무실에 그녀 혼자였다. 원래라면 수는 없지만,

개성이 독특한 팀원들의 말소리를 포함한 여러 가지 소음들이 사무실을 가득 채웠겠지만, 오늘은 오직 화련이 키보드를 두드리는 소리만이 들릴 뿐이었다. 그 숨 막히는 고요함을 이겨내지 못한 화련은 결국 핸드폰을 들어 음악을 밖에선 들리지 않을 정도로의 크기로 틀어놓고 나서야 다시 업무에 집중할 수 있었다. 조금 빠른 팝 음악은 노동요의 역할을 충실히 해냈고 그녀의 업무 속도도 점점 속도에 박차를 가했다.

*띠링*

시간의 흐름도 느끼지 못하고 집중하던 그녀의 손은 모니터에 메시지를 확인한 후였다.

**[야, 나와 점심 같이 먹자, 참고로 나랑 단둘이 데이트임. 정문으로 나와. 거절은 받지 않겠다.]**

수신인은 확인한 화련은 그제야 시계를 확인했다. 12시를 가리키는 시침을 확인한 화련은 그제야 지금이 점심시간임을 확인했다.

**[ㅇㅇ 정문?]**

**[정문]**

투박하고 용건적인 답을 보내자 그에 대한 답이 도착했다. 그 메시지를 확인한 화련은 피식 웃곤 재생되던 노래를 끊고 가방을 들고 사무실을 나왔다. 겉옷을 챙길지 말지 고민했지만 따뜻하게 내리쬐는 태양을 확인하곤 그냥 가기로 했다. 알겠지만 사무실과 정문과는 꽤 거리가 있기에 화련은 가는 도중에도 재촉의 메시지가 울렸지만 단 한 번도 확인하지 않았다. 물론 메시지를 보낸 당사자도 그녀가 읽을 거란 생각하진 않았을 것이다.

정문에 도착하자 단발의 와인색 정장을 입고 있는 여인이 보였다. 화련과 점심 데이트할 그녀였다. 화련은 누가 봐도 짜증 난다는 표정으로 핸드폰을 바라보고 있는 여인을 향했다.

"왜, 왜 또 뭐가 문제야"

"... 나 퇴사할까? 화련아"

어깨 정도 내려오는 푸른빛의 흑발과 그와 비슷한 검은색 눈동자를 가진 조금 올라간 눈매 때문에 매서워 보이지만, 170cm가 넘는 큰 키와 쭉쭉 뻗은 팔다리가 인상적인 매력적인 여성은 자신보다 한참은 작은 화련에게 몸을 맡기며 말했다.

"우리 유화 오늘도 힘들었구나. 가자. 점심은 무리지만 이 언니가 카페인 정도는 사줄게"

이 여인의 이름은 양유화, 화련과 같은 나라에서 나고 자란 그 오랜 시간 동안 함께한 친구였다. 현재 조율팀에서 근무하고 있는 관리국 동기이기도 했다. 자연스럽게 두 사람은 정문을 향해 나섰다. 보안팀 몇몇이 정문을 지키고 있었지만, 아침보다 확실히 준 숫자였다. 한참을 걸어와 시장에 다 도착했을 때까지 두 여인은 아무 말도 하지 않았다. 그저 서로의 곤욕을 이해하기에 조용히 걸었다.

"어서 오세요!"

"안녕하세요"

두 사람의 침묵과 무표정은 식당에 들어가면서 사라졌다. 식당 주인에게 살갑게 인사를 건넨 두 여인은 식당에서도 가장 구석진 곳으로 향했다. 자리에 앉은 두 여인은 그제야 입을 말문을 열었다.

"뭐 먹을까?"

"삼계탕."

"헛소리하지 말고 뭐 먹을 거야?"

두 여인의 대화 소리에 다른 접시를 치우고 있던 사장은 두 여인이 자리 잡은 테이블로 다가갔다. 곱게 차려입은 한복과 단정하게 틀어 올린 후 수수한 비녀로 머리를 장식한 여인은 두 사람에게 살갑게 말을 건넸다.

"아구 우리 딸들 점심시간이구나. 그래서 오늘은 뭐 먹을래?"

"아, 이모 그러게요. 오늘 뭐 먹을까요?"

"이모가 추천해주세요!"

"음, 오늘 질 좋은 닭이 왔으니까 닭볶음탕 어떠니?"

"좋네요. 2인분 주세요. 아 그리고 콜라도요"

"그래, 조금만 기다리렴. 금방 해줄게. 이모 솜씨 알지?"

한복을 입은 중년 여성은 윙크한 후 주방으로 들어갔다. 그 모습에 두 여인 또한 편안하게 미소를 지어 보였다. 그리곤 오는 내내 아무 말 하지 않은 것은 이것을 위함인 듯 유화는 입을 열어 오늘 팀에서 어떤 일이 있었는지 속사포 쏟아내기 시작했다.

유화가 속한 조율팀은 이 세계의 권력자라고 불리는 메이저 주인공들을 상대하는 일이기에 관리국에서도 가장 강도 높은 일을 하는 곳이었다. 일종의 인사팀을 생각하면 좋을 것이다. 이야기 속 주인공의 힘은 너무나도 압도적이고 그들이 그 자신은 힘을 모두 사용한다면 이 세계든 저 세계든 얼마 안가 사라지고 말 것이다. 예를 들어 한 신화에 나오는 번개를 다스리는 신을 들어 보자, 전세 계의 모든 사람이 안다고 해도 과언이 아닌 설화 속 가장 강한 신은, 자연스럽게 이 세계에서도 그와 비슷한 힘을 가지고 있다. 만약 그가 그 힘을 본인의 마음대로, 이익을 위해 사용한다고 생각하면 조율팀의 필요도를 느낄 수 있을 것이다. 유화의 모든 일은 어느 순간을 살아가고 있는 존재들에게 직관 되기에 그녀는 모든 순간에 철저하게, 절절하게 업무를 수행한다.

"유화야, 물 마시고 이야기하는 건 어떠니?"

"그래서 그 자식이 뭐라는 줄 아니? 위협받기 싫다고 그 호랑이 소굴을 나 혼자 가란다. 그게 말이야? 그럴 거면 뭐하러 그 자리 앉아있대!"

대부분의 높으신 분들은 그들의 조율에 기꺼이 따른다. 그들은 이미 지금의 세계에서 많은 것을 이루었으니까 하지만 아주 가끔 자신의 힘을 너무 사랑하는 존재들도 존재한다. 그들은 특히 별다른 이야기를 갖고있지 않은 우리 같은 존재들을 무시하는 경향이 있다.

"그래서 갔는데 힘 계속 쓰시겠대?"

"어, 그래서 결국 집행부에서 잡혀들어갔어. 난 분명 최선을 다해 설득했어. 가장 좋은 조건을 내줬어. 본인의 욕심으로 자기 앞길을 막은 것은 그 자식이야."

그리고 그 모든 존재의 끝은 그다지 해피엔딩이 아니었다. 이 세계는 변화와 도전을 사랑하지만, 자신만을 생각하는 이기적인 존재를 그다지 좋아하지 않은 꽤 공정하고 공평했으니까 말이다. 이 세계의 포함된 대부분 존재는 알려진 만큼, 유명한 만큼 자신의 힘을 얻는다. 유명세는 곧 권력이었고 그 권력은 거의 절대적이었다. 그렇기에 설립된 기관이 이 개연성 관리국이었다. 모든 세상의 창조자는 이 기관을 만들면서 이야기의 주인공들에게 대항할 힘을 우리에게 나누어주었다.

"자 주문하신 식사 나왔습니다."

둘의 대화 -유화가 늘어놓은 상사 욕이 대부분- 한창일 때 맛있어 보이는 음식을 가지고 온 중년의 여인이 테이블에 음식을 올려주었다.

"고마워요. 이모 오늘도 진짜 맛있어 보여요"

언제 험악한 욕설을 내뱉었는지 모를 순수하고 싹싹한 모습으로 감사 인사를 말했다. 그 모습을 보며 화련은 어이없다는 듯 한숨을 내쉬었다.

"그래, 맛있게 먹어. 딸들 또 필요한 것 있으면 말하고"

"네!"

화련과 유화는 중년 여인의 말에 장난스럽게 대답했다. 그 모습을 보던 중년 여인은 다정하게 미소 지은 채 다시 부엌으로 돌아갔다. 부엌으로 완전히 들어가 것을 확인한, 화련과 유화는 아까의 싹싹하고 예의 바른 미소를 지운 채 서로를 마주 보았다.

"내가 아까 어디까지 말했지?"

"본인의 욕심으로 자기 앞길을 막은 것은 그 자식이야. 까지"

".. 내가 얼마나 떠들었니?"

"23분 21초"

"소름 돋는 기지배"

초까지 기억하는 모습에 유와는 질린다는 듯 화련을 쳐다보았다. 그 모습에 화련은 픽 하고 웃었다. 그런 화련을 응시하던 유화는 천천히 말을 고르더니 이내 숟가락을 들어 음식을 먹기 시작했다. 의아함이 든 화련이었지만 그저 유화와 함께 식사를 이어나갔다. 그저 언젠가 말하겠지 하며 기다리는 것이었다.

"아, 역시 며느리 사장님 진짜 맛있다. 이러려고 돈 벌지, 이러려고 살아"

"그러게, 맛있게 먹었다. 이모 여기 계산이요."

식사를 마친 두 여인은 계산을 위해 일어났다. 그에 따라 주방에서 콩나물을 다듬고 있던 중년 여인도 나왔다.

"맛있게 먹었어?"

"아유, 당연하죠. 누구 음식인데"

"하하, 우리 어머님 입맛이 까다로워서 내가 덕을 참 많이 봐."

"여기 계산이요. 다음에 또 올게요"

"그래, 밥 굶지 말고 잘 먹고들 다녀. 둘 다 젓가락처럼 말라서 일이야 하겠어"

"잘해요. 잘. 저희 진짜 갈게요. 수고하세요. 이모"

중년 여인의 애정 담긴 잔소리를 뒤로 한 채 화련이 먼저 식당을 나왔다. 문 옆에 [며느리와 우렁각시] 라는 문구가 적힌 간판

이 눈에 들어왔다.

“근데, 오늘 우렁각시 사장님이 안 보이네요?”

“어, 남편이랑 데이트 갔어.”

“아, 이모는 왜 안가고?”

“아가, 가렴”

“하하, 네”

뒤에서 유화가 너스레 떨며 중년의 여인, 며느리 사장님과 이야기하는 소리가 들려왔다. 곧이어 식당을 나온 유화는 간판을 자세히 바라보던 화련을 불렀다.

“뭘 그렇게 봐.”

“.. 우렁각시 설화 꽤 알려져 있고, 그런데 너 며느리 설화 하면 뭐가 생각나?”

“뭐?”

“그냥 문득, 생각이 나서”

화련과 유화가 좋아하고 자주 오는 이 식당은 이야기의 존재들이 운영하는 식당이었다. 우렁각시야 잘들 아는 설화고 이 식당의 또 다른 사장인 며느리 사장님은 일명 며느리 시험에 등장하는 그 며느리이다.

옛날 옛적에 한 부자가 아들을 장가보내기 위해 보리 두 되와 쌀 두 되를 가지고 집에서 할머니 종과 같이 한 달 동안 사는 처녀를 결혼시킨다는 방을 붙였다. 많은 여인이 몰려들었지만 그 중 그 시험을 통과한 것은 단 한 명, 쌀을 한 번에 많이 먹고 그 힘으로 쓰리잡으로 한 달을 버틴 여인이었고, 그녀가 결국 최종

할머니의 며느리가 되었다. 라는 전래동화 속 그 며느리.

".. 확실히 우렁각시 설화에 비해 덜 메이저긴 하지, 그래도 한 번쯤 들어본 설화잖아, 꽤 인지도도 있고"

"그런가, 그래 그렇지"

화련은 문득 그런 생각이 들었다. 이야기의 인지도가 곧 권력이고 지위인 이 시대에서 이 식당을 운영 하는 두 이야기의 주인공들이 문득 우리와 크게 다르지 않다는 생각이 들었다. 아마 시어머니의 입맛이 까다로웠다는 말이 떠오른 것은 그 이유 때문이었을 것이다.

"슬슬 걸어가면 시간 맞겠다."

"얼마나 남았는데?"

"25분 정도"

"널널하네"

화련과 유화는 복숭아 아이스티에 샷 추가한 메뉴를 각자의 손으로 들고 천천히 직장으로 복귀하고 있었다. 잘 포장된 길과 중간중간 심어 있는 싱그러운 나무 사이로 내리쬐는 태양이 너무나 아름다운 날이었다.

"화련아."

"왜?"

"나 퇴사하고 싶어."

"헛소리"

유화의 불만 불평은 계속되었지만 화련은 그 불만 불평을 조용히 들어주며 그 길을 계속해서 걸었다. 꽤 기쁜 마음으로 그 불

평을 들어주었다. 그도 그럴 듯 퇴사를 하고 싶다며 온갖 욕설을 쏟고 있는 유화였지만,

"그래도 해야지. 그래야지."

참 이상했다. 유화는 관리국에 도달할수록 그녀의 눈빛은 더욱 총명하게 빛났고, 그녀의 몸에서 살아가는 것들 특유의 사랑스러운 에너지가 뿜어져 나왔다. 그렇기에 화련은 그녀의 불만과 불평을 기꺼이 조용히 들어주었다. 자신에게는 더는 찾을 수 없는 사랑스러운 살아있음에 증거를 유화는 아직 온몸으로 내뿜고 있었다. 친우의 모습이 더없이 사랑스럽게 빛난다는 점이 이상하게도 화련의 위로와 위안이 되었다.

"그래도 행복해 보이네"

"너 안과 가봐."

화련의 말에 유화는 얼굴을 찌푸리며 말했다. 진심으로 머리가 어떻게 된 거 같다며 손가락을 동그랗게 돌리는 시늉도 하였다. 하지만 화련은 그저 피식하며 웃어 보였다. 화련 자신은 느낄 수 없는 살아있음에 증거, 그녀는 가장 친한 친구를 통해 대리 만족하고 있었다. 여전히 자신의 이야기를 써 내려가고 있는 것들의 아름다움을 화련은 그 누구보다 잘 알고 있었으니까.

화련과 유화는 금방 관리국에 도착했다. 방문객이 몰릴 시간이라 그런지 나갈 때 보다 훨씬 많은 보안팀 인원들이 정문을 지키고 있었다. 신원 확인을 받고 관리국 안으로 들어온 화련과 유화는 정반대인 자신들의 사무실로 향하기 위해 인사를 했다.

"으. 이제 진짜 다시 일해야 하네. 넌 이제 뭐해?"

“음, 모인 각부서의 짬처리 일들, 아 외근 나간 팀원들 돌아오니까 시끄러워지겠네”

“그래, 수고해라. 이따 연락할게”

“알았어.”

유화는 들고 있던 아이스티에 샷 추가를 입에 물곤 손을 흔들며 걸어갔다. 발걸음에 가기 싫어하는 것이 화련과도 같았지만, 그녀의 뒷모습은 어쩐지 당당해 보였다. 자신의 직업에 보람을 가지고 살아가는 존재의 뒷모습이었다. 그 뒷모습을 씁쓸하게 지켜보던 화련도 자신의 사무실로 향해 걸음을 옮겼다. 그녀의 뒷모습은 처량했다. 마치 사랑하는 것을 잃은, 사랑스럽지 못한 존재의 뒷모습처럼, 그저 살아가기 위한 살아가는 그런 존재처럼 말이다.

“안녕하십니까? 점심 식사하고 오시나요?”

“아, 루치페르

사무실로 들어서자 차분한 목소리가 다정하게 인사를 건네왔다. 화련은 목소리의 주인공을 알아보고 미소로 화답했다.

“네, 친구랑요. 루치페르는 지금 오시나요?”

“예, 아침 외근은 오랜만이라 좀 힘드네요.”

“그러게요. 너무 고생하셨어요. 커피 좀 드릴까요?”

“아니요. 아직 버틸 만해요.”

다정하고 친절하다 하지만 어딘가 선이 확실하게 느껴지는 말투, 화련은 루치페르 이 점을 정말 좋아했다. 솜사탕 같은 옅은 푸른색 머리카락과 푸른빛의 피부, 몽환적인고 신비로움이란 단어가 정말 잘 어울리는 미남이었다.

"네, 그래요. 카페인 몸에 안 좋죠."

"음? 화련 손에 들려있는 건 뭘까요?"

"아이스티랍니다."

루치페르는 다정하고 친절하다. 뻔뻔한 화련의 거짓말의 속아 넘어가 줄 만큼 하지만 그의 친절은 절대 타인을 부담스럽게 하지 않는다. 절대 선을 넘지도 않고 그 선을 부각하는 다정과 친절은 어떤 이에게는 상처가 될 수 있지만, 적어도 화련은 그 선이 정말 마음에 들었다. 화련은 과거에는 몰라도 지금은 이렇게 간결하고 각박한 관계가 좋았으니까.

사소한 대화 이후 그들은 서로의 자리로 돌아가 업무 준비를 했다. 두 사람의 자리는 마주 보는 자리였지만 칸막이 덕분에 사생활 보호는 철저하게 이루어졌다. 컴퓨터 모니터 아래 시계를 보니 아직 점심시간이 끝나기까지 5분이 약간 넘는 시간이 남아 있었다. 오늘따라 하루가 길다고 느낀 화련은 한숨을 푹 하고 내쉬었다. 빨리 시간이 지나 퇴근 시간이 오기만을 기다리는 화련이었다. 그리고 그 모습을 바라보고 있던 루치페르는 한숨을 내쉬는 화련을 보며 아주 옅게, 루치페르 자신조차 느끼지 못할 정도로 옅게 웃었다. 그 웃음이 어떤 변화를 가져올지 모를 그들이었다.

"그러고 보니, 팀장님이 안 보이시네요?"

한창 집중해 업무를 보고 있던 둘의 침묵은 루치페르가 던진 질문으로 깨졌다. 그 질문에 화련은 조금 어이없다는 웃음을 지어 보이고 답했다.

"정말 빨리도 물어보시네요."

그녀의 답에 얼굴색 하나 안 변하고 뻔뻔하게 웃으며 말했다.

"모를 수도 있죠."

"간부 소집 회의 가셨어요."

"아이구, 불지옥이군요."

"아침 출근하자마자 가신걸로 알고 있는데 늦긴 늦네요. 그래도 점심 전에는 돌아올 줄 알았는데, 안 오시네요."

그들은 대화하며 비어있는 팀장의 자리를 바라보았다. 평소 그들은 상사를 그다지 의지하거나 신경 쓰이지 않은 편이었다. 워낙 말이 많은 팀의 리더 덕분에 업무 시간에서도 직장은 시끌벅적거리곤 하였다. 그래서 그런지 북적거리기는커녕 키보드 두드리는 소리에 시계가 움직이는 소리까지 들리는 이 적막 속 그의 빈자리가 크게 느껴졌다.

"잘하고 계시겠죠?"

"퍽이나요."

잘게 눈을 떨며 물은 루치페르에게 화련은 무감각하게 답했다. 실로 그랬다. 화련의 상사는 그간 만난 던 이들 중에서도 유난히 유들유들 능청스러운 성격의 소유자였다. 적어도 이 팀의 팀원들에겐, 자신이 품은 이들에게는 그런 이였다. 하지만 갈대처럼 가볍고 유들거리는 사람이지만, 이상하게도 올곧고 고집스러운 면모가 있었다. 마치 대나무처럼. 바람이 불면 갈대처럼 휘어지고 구부려져야 했지만, 이상하게 그는 바람만 불었다 하면 대나무처럼 변하곤 하였다. 참 이상하고 이해하지 못할 상사였지만,

"그래도, 어차피 싸울 거 이기고 오면 좋겠네요."

하지만 그런 점이 좋았다. 그 이상하게 올곧고 유난히 유들거리는 그가 좋아서 아직 남아있는 존재들이 바로 이곳의 팀원들이었다. 차라리 지는 척, 사탕발림 같은 말이라도 하며 마찰을 줄이라곤 말을 하지만, 사실 그들은 그의 날것의 외침을 존중하고 존경하기에 그 외침을 응원했다. 이름조차 없는 "부서" 에 남아서 출근을 하고 업무를 보는 것은 그 이유 때문이었다. 물론 경제적 이유도 없다곤 말 못 하지만.

"동감입니다."

그들의 대화는 거기서 끝이었다. 잠시나마 멈췄던 키보드 소리가 다시 방안을 가득 채웠다. 혼자였을 때는 방안을 채웠던 키보드 소리와는 조금 다른 감상이 느껴진 화련이었다. 적어도 숨 막히는 상황은 아니었다. 똑같은 소리, 똑같은 공간 바뀐 것은 나 혼자가 아니라는 것이 얼마나 큰 심신의 안정을 주는지, 화련은 아직 모르지만 느끼고 있었다. 감정이란 것은 생각보다 본질적이고 이기적이었다.

똑같은 타자 소리와 시계 소리가 또 한참 방안을 가득 채워 자신들의 영역을 주장해 나갔다. 그 소리에 점령당한 사무실 안 이들은 그 소리에 점령된 곳에서 시간의 흐름조차 느끼지 못하는 듯 몇 시간을 똑같은 자세와 똑같은 표정으로 업무만을 처리하고 있었다. 성실의 면모를 뛰어넘은 뭔가 기괴한 모양새였지만,

이 방을 들여다본 그 누구도 그렇게 느끼지 않았을 거라는 것이 중요한 것일 것이다. 이 상황은 허리 통증을 느낀 화련이 창문을 바라보면서 인지되었다.

분명 마지막으로 본 빛이 밝았지만, 지금 본 창문 밖으로는 소행을 거의 마친 태양이 퇴근을 준비하려는 듯 주황빛의 노을이 세상을 내리쬐고 있었다. 그제야 화련은 시간이 얼마나 지났는지 확인하기 위해 시계를 향해 눈으로 돌렸다. 참 어이없는 상황이었다. 오늘 점심까지만 하더라도 하루가 길다고 생각해 한숨이 저절로 나왔던 화련이었지만, 봐라, 지금은 시간이 얼마나 지났는지 인지하지 못하고 어느새 세상을 점령한 노을의 주황빛을 보고 놀라고 있는 상황 말이다. 참 묘한 감각이었다.

"루치페르"

화련은 이내 칸막이 너머에 있는 모니터에 집중을 하고있는 남자를 불렀다. 시간의 흐름을 느끼지 못하고 기계적으로 키보드를 두드리던 손이 화련에 부름에 뚝 하고 멈추었다.

"네."

평소보다 조금 늦은 답을 하는 그는 화련을 쳐다보지 않고 주황빛의 창문 밖과 그 주황빛으로 서서히 물들고 있는 사무실 내부를 훑더니 이내 한 손으로 눈가를 꾹꾹 누르기 시작했다. 여전히 다정한 목소리였지만 그 다정함 마저 숨기지 못한 당혹감에 화련은 자신도 모르게 쓰게 웃고 말았다.

"참 웃기네요. 분명 아까는 하루가 길다고 생각했는데, 벌써 노을이 지다니."

“그러게요. 어떻게 그 시간 동안 일만 했을까요. 저희”

칸막이 위로 사이로 두 남녀는 조금 뻘쭘한 미소를 지으며 마주 보았다. 이 아름다운 세상의 대부분 존재는 시간의 흐름을 잘 인지하지 못했다. 워낙 오랜 시간을 존재하거나 시간의 흐름이 조금 다른 곳에서 존재하거나 그 외이든. 유난이 시간에 흐름에 무감각한 화련과 루치페르 또한 그런 이유이기도 했지만, 매사 느긋하고 무딘 성향이 작용한 이유이기도 하였다. 한 일에 집중한다면 사실 몇 시간의 흐름 정도는 조금도 인지하지 못하는 두 존재였기 때문에 사실 하늘이 아직 밝을 때 눈치를 챘다는 것을 감사히 여겨야 할지도 모른다.

“까딱하다 퇴근 시간을 놓칠 뻔했네요.”

“후우, 그러니까요. 이만 일어날까요?”

“네, 결국 팀장님은 못 보고 가겠네요.”

화련은 그 말과 동시에 팀장 명패가 놓인 자리를 쳐다보았다. 늦을 거라는 것을 어느 정도 예상했지만, 설마 퇴근 시간까지 안 올 줄은 몰랐다. 아직까지나 회의가 진행되는 것인지, 아니면 버틸 수 없는 스트레스의 어디서 우울감을 해소하기 위해 애쓰고 있는 건지 화련은 알 방법이 없었다. 그저 비어있는 팀장의 빈자릴 보며 걱정을 하는 것 만이 그녀가 지금 할 수 있는 유일한 일이었다. 연락해볼까 싶기도 하였지만, 성향상 걱정을 끼친다는 것에 극도로 예민한 그를 생각해 본다면 좋은 선택지도 아니었다. 평소엔 귀찮게만 생각한 그들의 상관이었지만, 참 없으면 보고 싶어지는 것은 그가 참 좋은 상관이라는 증거일 것이다.

"그러고 보니 페이라도 안보이네요."

팀장의 자리에서 시선을 거둔 화련은 자리를 정리하다 말고 문득 이 팀의 막내도 외근에서 돌아오지 않았음을 깨달았다. 페이라가 듣는다면 꽤 서운할 만큼 늦은 반응이었다. 아까 팀장의 부재를 늦다고 루치페르를 놀리던 화련이었기에 꽤 뻘쭘한 미소만을 지었다. 그 마음을 아는 건지 루치페르는 이미 말하기 전부터 그의 눈은 장난기로 가득 찼다.

"페이라는 외근이 늦어진다길래 제가 거기서 퇴근하라 했어요. 물론 아직 퇴근은커녕 외근 조차 안 끝난 것 같지만요. 근데 너무 늦게 알아보시는 거 아니요? 페이라가 화련씨를 얼마나 따르는데 서운해하겠는걸요"

쿠쿡 하고 웃으면서 말하는 루치페르의 말에 화련은 작은 헛기침을 하고 답했다.

"뭐 그럴 수도 있죠. 어쩐지 말 많은 둘이 없이 정신 못 차리고 이 시간까지 일을 한 것이겠죠. 그래도 내일은 점심이라도 사야겠네요."

이 팀의 막내 페이라는 한동안 막내 자리를 차지하던 화련에게 오랜만에 생기는 후배였다. 처음 일이라 조금 서툴기는 하지만 보여지는 것과 달리 꽤 성실하고 무엇보다 유난히 화련을 선배, 선배 잘 따랐기에 그녀 또한 귀여운 후배 페이라를 좋아했다. 사적으로 연락하는 몇 없는 친구이기도 했으니 말이다. 그런 귀여운 후배의 부재를 뒤늦게 깨달은 것에 꽤 미안함을 느낀 화련이었지만, 이 상황을 함께 맞이한 사람이 루치페르였기에 화련은 조금 안심했다. 루치페르라면 화련이 페이라를 완전히 잊고 있었던 사실을 굳이 전하지 않았을 것이기 때문이었다.

"그러니 루치페르도 조용히 할거죠?"

"하하, 당당하시네요. 그럼요. 기꺼이 비밀 지켜드릴게요."

화련은 검지손가락을 입가에 가져다 대면서 당당히 말하며 웃었다. 그 당당함에 웃음이 터진 루치페르 또한 입가에 자크를 잠그는 듯 모션을 취하며 말했다. 그의 신비로운 눈동자가 초승달처럼 휘어지자 참 달과 닮은 미소라 생각을 한 화련이었다.

"감사해요. 이제 정말 저희 퇴근할까요? 오늘은 빌어먹을 월요일이니까요."

"네, 그래요."

화련과 루치페르는 마저 자신들의 짐을 정리하였다. 챙겨왔던 짐들과 핸드폰 이어폰을 챙긴 것을 확인한 화련은 의자에 걸쳐 있던 자켓을 걸쳤다. 아직 아침, 저녁은 쌀쌀함으로 지금은 따뜻했지만, 곧 닥칠 밤공기는 서늘한 것을 알기에 처음부터 겉옷을 입기로 결정한 것이었다. 마지막으로 빠진 물건이 없나 확인하던 화련은 마침 느껴지는 핸드폰의 진동에 핸드폰의 화면을 보았다. 메시지에서는 유화의 하소연이 담겨있는 문장들이 눈에 들어왔다. 아쉽게도 월요일 아침부터 야근이 확정되었다면 우는 소리와 혼자 퇴근하니 조심히 가라는 걱정문자였다. 그 문자 천천히 읽어가던 화련은 답장을 보냈다.

**[에고 어쩌면 좋아 ㅠㅠ 힘내고, 내일 보자. 카페인 너무 마시지 마. ㅠㅠ]**

평소 대화에선 볼 수 없는 다정하고 걱정스러운 문자들이 담긴 답장이었다. 이게 디지털 매체의 장점이지 않겠는가, 평소 하지 못한 애교스러운 말투를 표현하기 메시지로 충분했다. 유난히 문자 매체에 조금 더 솔직해지는 화련이었다.

"화련?"

한참 메시지 답장으로 하던 화련을 부른 것은 당연하게도 루치페르였다. 그는 이미 준비를 다 한 것인지 문가에 비스듬하게 기댄 후 화련을 바라보고 있었다. 답장까지 오랜 시간이 걸리지 않았지만, 유화의 하소연 담긴 문장들이 워낙 많았던지라 읽는데 다소 시간이 걸렸던 것이었다.

"아, 미안해요. 친구한테 연락이 와서. 월요일부터 야근이라고"

"그 조율팀에 말이죠."

"어머? 제가 말해드린 적 있나요?"

"그야.."

화련은 루치페르에게 대답을 하며 짐을 챙겨 들었다. 그러다 문득 장난스럽게 건네오던 말이 뚝 끊어진 것에 의문을 가진 화련은 다 정리한 짐을 들고 문가에 기대고 있는 루치페르에게 다가갔다. 당연하게도 이 방에서 밖으로 통하는 문은 오직 그것 하나였기 때문이었다.

"루치페르?"

"아, 죄송해요. 순간 멍해져서."

순간 화련의 다가옴에 몸을 흠칫 떤 루치페르는 화련 보다 더 당황한 듯 변명을 내뱉었다. 그리고 다행히도 그는 운이 좋은 남자였다. 화련의 의혹은 곧 창문으로 스멀스멀 들어오는 어둠 덕분이었다. 그 어둠을 느낀 화련은 몸을 돌려 창문을 바라보았다.

"확실히 이 장면은 멍해질 만한 장면이기는 하죠."

노을빛이 서서히 밤의 어두움으로 변해가는 것이 마치 어둠이 세상을 집어삼키는 것 같이 보였다. 노을빛과 밤의 어둠이 공존하는 기묘하고 몽환적인 창문 밖 보다 문득 시계를 확인해 보았다. 그녀가 루치페르를 불렀던 시간은 6시 12분이었다. 그리고 유화의 메시지의 답을 하기 위해 핸드폰을 열었을 때가 6시 23분이었다. 그리고 지금은 정확히 6시 30분 정각이었다. 어느 조짐도 없이 갑자기 나타난 어둠이 황혼을 끝내고 있는 상황은 대체로 이상한 이 세계에서도 신비롭고 이유를 알 수 없는 현상이었다. 화련이나 루치페르와는 비교할 수 없는 수많은 시간을 산 어느 한 존재에게 발견되었고, 이 현상은 그의 이름을 따 초기에는 이루어졌다고 하지만 어느 순간부터 그 명칭은 사라지고 그저 밤의 사냥이라고 불리는 현상들이었다.

"이 세계의 황혼도 정말 아름답지만, 이 밤의 사냥만큼 감동은 없는 것 같아요. 그쵸? 루치페르"

평범하게 노을이 지고 밤이 찾아오는 것이 아니다. 조금 유치한 이름이지만 명칭 그대로 밤이 자신의 영역을 주장하듯 황혼의 주황빛을 잡아먹는 것 같은 현상은 사냥이라는 말과 정말 잘 어울렸다. 워낙 간혹 일어나는 현상이기에 이 세계에서 꽤 존재한 화련 조차도 몇 번 보지 못한 현상에 저절로 창문만 바라보게 되었다.

"네, 그러게요. 어쩐지 이번 달 퇴근 시간이 6시길래 예상은 했는데"

그새 정신을 차린 루치페르는 창문에서 눈을 떼지 못하고 있는 화련을 바라보며 안도하였다. 물론 자신이 아까 왜 당황했는지 지금 왜 안도하고 있는지는 그도 모를 일이었다.

"음, 조금 있다가 내려갈까요? 곧 완전 밤이 찾아올 것 같네요."

"네, 그러죠."

화련은 여전히 창문에서 눈을 떼지 않고 말했다. 그 행동에 루치페르는 화련에게 한 발짝 떨어져 그녀가 보고 있는 창문을 바라보았다. 밖에 나가지도 않으니 사무실에 햇빛이라도 많이 들어와야 한다던 파엘루스의 주장대로 이 사무실은 관리국 내 가장 안쪽에 박혀 있지만 기막힌 채광을 자랑하는 곳이었다. 크게 나 있는 두 창문은 보통 블라인드가 가리고 있는 경우가 많지만, 가끔 그의 주장을 받아들인 것을 다행스럽게 여겼다. 빠르게 노을빛을 집어삼키던 어둠은 완전한 밤이 되어 찾아왔다. 그리고 언제 요사스럽게 굴었냐는 듯 아름다운 달과 별을 차례로 띄운 후 평온한 낮으로 돌아왔다. 정확히 밤의 사냥이 시작된 6시 30분으로부터 30분이 지난 7시 평소보다 이른 밤이 화련의 퇴근을 맞이했다.

“친구분 야근이시면 동행인 없으시죠?”

“네, 오늘 루치페르가 제 동행인 좀 되어주실래요?”

“물론이죠.”

밤의 사냥은 워낙 희귀한 현상인지라 아주 가끔 그 아름다운 현상에 홀린 듯 자취를 감치는 이들이 있기에, 이 시기가 발생되면 외출을 통제하진 않지만 2인 이상으로 모여 통행하기를 권장했다. 특히 현상에 사라진 뒤의 최후를 아는 관리국 직원들은 대부분 그 권고 사항을 의무 사항처럼 여기기도 하였다. 그렇기에 화련도 루치페르도 어쩔 수 없이 의무적으로 동행해야 했다. 평소 걷는 것을 좋아하는 화련은 혼자 갈까, 고민하기도 했지만, 이 아름다운 현상은 감히 예상할 수 없기에 그저 군말 없이 동행하기로 하였다. 평소 선이 유난히 분명한 화련과 루치페르였기에 사적이게 만난 적이 한 번도 없었기에 어색하지 않을까 생각을 했지만, 쓸모없는 고민이었다.

“저 꽤 오래 살았다고 생각하는데 밤의 사냥은 이번이 4번째네요.”

“저랑 비슷하시네요. 저도 3번 째랍니다.”

오랜 사회생활에서 단련된 학습적인 사교성이 다행히도 발휘함으로써 둘은 걱정했던 어색한 상황이 발생하진 않았다. 그렇게 별 영양가 없는 대화들이 오고 가던 도중 문득 발걸음을 멈춘 루치페르에 의해 화련의 걸음도 멈추었다. 그의 시선은 하늘을 삼켜버린 어둠 속 오늘따라 더 유난이 밝게 빛나고 있는 달에게 향하고 있었다.

"루치페르?"

"아 죄송해요. 고향 생각이 나서."

"고향이요?"

잠시 멈춰있는 루치페르를 부르자 그는 곧 멋쩍은 미소를 지으며 답했다. 그리곤 설명하듯 입을 열었다.

"제 주위에는 참 많은 것이 달라졌거든요. 근데 저 달은 아주 오래전에 친구들이랑 철없이 놀다 보던 달이랑 달라진 것이 없어서"

그는 조금 민망하다는 듯 말하는 와중에도 하하 하고 웃음소리를 내었다. 그는 자신이 너무 감정에 사로잡혔다는 말을 했지만 화련은 그 말을 이해할 수 있었다. 그의 고향이 어딘지는 모르겠지만 화련 역시 고향을 떠나면서 화련 그녀를 이루던 세상이 변했으니까. 이해할 수 있었다. 그래서인지 달을 보며 씁쓸한 눈을 보이는 루치페르를 보고 화련은 자신을 겹쳐본 것이다. 이 세계의 아름다움에 매료되어 자신이 태어나고 자란 고향 대신 이곳을 선택한 것은 다름 아닌 자신이었으니까.

둘이 다시 걸음을 옮긴 것은 그로부터 오랜 시간이 지나지 않은 시점이었다. 먼저 발을 옮긴 것은 루치페르였다. 그는 자신을 기다려준 화련을 향해 감사의 건네며 민망함에 주제를 변환하기 위해 입을 열었다.

"그러고 보니 화련의 친구분과 오래 만나셨잖아요"

"유화요? 그럼요. 얼마나 오래 만났는지 세기도 힘들답니다."

"하하, 부럽네요. 제 친구들은 언제 만났는지 기억도 안 나는데."

주제가 주제인 만큼 화련은 자신의 오래된 친구이자 동료인 양유화를 떠올렸다. 머리에서 야근하며 상사 후배 가리지 않고 드잡이를 하는 유화가 그려져 저도 모르게 풋 하는 웃음이 나왔다. 그 모습을 지켜보던 루치페르는 눈치를 보다 입을 열었다.

"왜 웃어요? 생각만 해도 막 좋나?"

"아뇨, 그냥. 저 달처럼 우리 유화는 그 오랜 시간 동안 그다지 안 변한 것 같아서. 그래서요."

"화련은 변한 건가요?"

"…."

루치페르는 화련의 말을 조용히 들어주며 고개를 끄덕였다. 그러다 문득 묻는 루치페르의 말에 화련은 잠시 입을 닫았다. 하지만 얼마 후 화련은 마치 홀리기라도 한 듯 아주 아주 오랜만에 자신의 이야기를 내뱉었다. 왜? 라고 묻는다면 솔직히 모르겠다. 몇 분 전까지 빨리 집에나 가고 싶었지만 아마도 이것은 유난히 그 시절, 그녀의 고향을 닮은 달 때문에, 달을 너무나도 다정하고도 씁쓸하게 바라보던 화련 옆에 서 있는 남자 때문에 그녀는 셀 수도 없을 오래전 이야기를 시작하였다.

"나랑 유화는 같은 나라에서 자랐답니다. 사실 우린 처음부터 친해질 운명이었어요."

"어떻게 친해졌는지 기억나세요?"

화련의 말에 루치페르는 물어왔다. 그러자 화련은 고개를 설렁 설렁 흔들었다. 그리곤 자신도 모르겠다는 듯 피식 웃으며 그 물음에 대한 답을 골랐다.

"글쎄요, 사실 어떻게 친해지게 된 건지는 기억이 안 나요. 워낙 어렸을 때기도 하고, 하지만 그런 기분이 들어요. 아마 운명이었지 않았을까. 평범한 인생을 포기한 외로운 길을 스스로 걸은 운명들을 가엽게 여겨 인생 친구를 붙여 준 게 아닐까 지금에나 생각하는 거지만요."

"멋지네요. 부럽고요."

루치페르에게 운명을 믿느냐고 묻는다면 그는 확답을 내놓지 못할 것이다. 어느 신화에 존재하는 운명은 달콤하고 또 어느 설화에 존재하는 운명은 비극적이다. 그렇다면 운명이란 것은 대체 무엇인가. 루치페르는 그의 대한 답을 아직 찾지 못했고 그 답을 찾기 전까지 그는 답을 할 수 없을 것이었다. 하지만 자신의 옆에 걷고 있는 여인이 믿는 운명이 어느 신화에 존재하는 것처럼 달콤했으면 하는 작은 바람이 있었다.

# 제2화 짝사랑을 자처했다.

"꽃 자매 아가씨들! 어디가셔유?"

부인과 노인 그 사이 어딘가 걸쳐있는 한 여인이 화련과 유화가 나가려 하자 다급하게 그들을 불렀다. 뒤를 돌아본 유화는 애교 있게 미소지으며 답했다. 처음에는 단호히 외치던 모습과 달리 그 애교에 할멈이라 불린 여인은 한숨을 내쉬며 고개를 끄덕였다.

"할멈, 화련이랑 잠시 냇가에 좀 다녀오겠네."

"마님 아시면 큰일나니께 너무 늦게 들어오시면 안돼유"

"알았어, 그럼 다녀올게!"

유화는 할멈의 허락이 떨어지자마자 화련의 손목을 잡으며 빠른 걸음으로 대문을 벗어났다. 그 긴치마를 입고 얼마나 잘 걷고 뛰는지 유화보다 작은 화련은 몇 번 넘어질 뻔했지만, 그때마다 유화는 그런 화련을 잘 잡아주었다.

"얘, 천천히 가렴. 나 넘어지겠다."

"걱정하지 마렴. 내가 잡아줬잖아. 넘어질 것 같으면 내가 잡아줄게."

"참으로 안심이다. 아휴, 그래 누가 널 말리니?"

동글동글한 얼굴과 초롱초롱한 눈을 가진 두 소녀는 꺄르륵 웃으며 뒷산에 있는 냇가로 향했다. 평소 아낙네들이 목욕이나 빨래하는 하천이 아닌 가옥 뒷산에 있는 냇가는 최근 두 소녀가 발견한 그들의 장소였기에 매일 가도 두근거리는 마음만큼은 처음 그곳을 발견했을 때와 같았다. 사람들의 시선이 보이지 않은 숲으로 들어서자 그나마 멀쩡하던 치맛자락을 들고선 산을 오르기 시작했다. 산이라 하더라도 어린 소녀 둘이 충분히 오를 수 있는 언덕이었지만 자신들 만의 밀회 장소를 가진 두 소녀에게 큰 차이점이 없었다.

"얘, 화련아 여기 청설모가 있다. 참 귀엽기도 하지."

"어머, 귀여워라. 아래는 더웠는데 여긴 엄청 시원하구나."

비밀 장소라고 하나 뻔질나게 이곳을 드나드는 두 소녀 때문에 유화의 부모님이 이미 앉아 놀 수 있는 장소를 만들어 주었기에 소녀들은 그 정자에 앉아 산 내음과 새의 지저귀는 소리를 들으며 한참 수다 꽃을 피웠다. 시종일관 꽃처럼 아름다운 미소를 지으며 나뭇잎 하나 떨어지는 일에도 꺄르륵 웃음을 터트리는 모습이 아름답다 알려진 꽃과 다른 점이 없었다.

꽃 자매 아가씨들. 두 소녀를 일컫는 사랑스러운 애칭, 처음에는 부끄럽다 말하던 두 사람 모두 이제는 당연하게 여기는 별명이었다. 정화련과 양유화 두 소녀는 동쪽의 작은 나라에 지체 높은 안의 사랑받는 여식을 태어났다. 같은 시기에 태어난 두 소녀가 친해진 것은 어찌보면 당연한 이야기였다. 두 사람은 워낙 어렸을 때부터 붙어 다니며 말 그대로 자매처럼 컸다. 그렇기에 각 안의 하인들은 자연스럽게 두 소녀를 자매처럼 여기고 있었으며 두 소녀의 부모들 역시도 자신들의 딸의 둘도 없는 친구를 사랑스러워 마지않았다.

"아버님, 어머님 지난밤은 안녕하셨습니까."

"그래, 우리 의 꽃은 잘 잤느냐?"

"호호, 아침에 대문을 내다보니 꽃이 한 아름 폈더구나, 하지만 우리 의 꽃보단 아름답지 않았단다."

"어머님, 아버님 이제는 제발 그만두어 주셔와요.."

시간이 지나 두 소녀가 소녀라 부를 수 없을 정도로 컸을 때 장난기가 넘치는 가족들 덕분에 얼굴을 붉히는 날이 많았으나 그마저도 즐겁다고 말할 수 있었다. 두 안의 금지옥엽 아가씨들은 남부럽지 않게 성장해 그 고을에 남자들의 흠모를 한몸에 받으며 사랑스러운 미래를 기대하곤 했다.

"여기 오랜만이지 않니, 화련아?"

"그렇지, 나이가 든 이후로는 안 나오는 것조차 힘드니 말이야."

화련과 유화는 어린 시절부터 드나들던 냇가 근처 정자에 자리잡았다. 오랜만에 찾았음에도 여전히 잘 가꾸어진 정자이었기에 유화의 부모님이 관리한다고 생각했다. 하지만 군데군데 이끼가 슬거나 들풀들이 들쑥날쑥 나 있는 모습에 평소 꼼꼼한 성향을 가진 유화 부모님의 성향을 알던 화련은 잠시 고개를 아무 말도 하지 않았다.

"여기는 여전히 시원하네."

"그러게, 저기쯤인가 네가 발목이 삐끗해 엉엉 울던 곳이?"

화련은 정자에 대충 누워서 자신을 놀리는 유화를 보며 빙긋 웃었다. 그리곤 들고 있던 옷가지를 누워있는 유화를 향해 확 던져버렸다. 그 옷가지들에 얼굴을 묻힌 유화는 푸하하 하고 오랜만에 큰 소리로 웃음을 터트렸다.

"그래, 나는 정화련이 조숙하다는 소리를 들을 때마다 내가 웃음을 얼마나 참는지 아니?"

"난 양가 독녀가 말괄량이라는 소리를 들을 때마다 웃음을 참기 위해 내 팔을 어떻게 꼬는지 넌 모를거다."

"화련아, 너무 변하지 마라. 지금도 그때도 덤벙거리는 건 너란다. 조심성 없어 맨날 돌부리 넘어지려 하면서 요조숙녀는 무슨"

갓난아기 때부터 소녀의 시절을 지나 이제는 여인의 길을 나아가는 둘은 어릴 때처럼 하고 싶은 모든 것을 할 수 없었다. 두 안은 지체 높은 가문으로 그 가문의 일원으로 태어나 얻은 권리를 행사하고 자란 둘은 그 위무를 다해야만 했다. 그렇기에 좋아하지 않은 의복을 갖추고 품위에 문제 가지 않기 위해 행동하나 하나 생각하고 움직여야 했다. 두 안이 아무리 딸을 사랑하고 아끼단 하여도 당시는 남자가 여자보다 중요하다 여겨지는 시대, 여자는 관직을 나갈 수 없고, 성년이 지난 여인들은 외출조차 마음대로 할 수 없었다.

"변하지 않고 싶었는데, 나는 아직 이리 너랑 수다 떠는 것이 즐겁고 이 냇가만 오면 비밀이 지켜질 것만 같은 기분이 드는데. 모르겠구나"

"나는, 우리는 높은 가문에 여식으로 태어나 누리고 싶은 것 다 누렸으니 그 의무 다해야 한다고 머리로는 알고 있지만, 무릎 꿇고 있는 것이 끔찍이도 싫다."

"…"

"그러니 화련아, 우리 약속하자. 우리의 모든 게 변하더라도 하다못해 우리가 변하더라도. 이렇게 우리 둘만 있을 때는 정화련이 아닌 내 친우 화련으로 있어주렴"

침울해 보이는 화련의 말에 유화는 다정하고도 다정하게 말을 이어갔다. 그 말을 다 듣고 있는 화련은 아직도 옷가지에 덮여있는 유화에게 다가가 본인이 던진 옷가지를 조금씩 정리하기 시작했다. 침묵의 의미는 감사였고, 옷가지를 치워진 것은 수락이었다.

"너도 그러지 말고 이리 누으렴, 물소리 새소리 풀벌레 소리까지 무릉도원이 없구나."

"싫다. 그래도 옆에 앉아 줄 수는 있겠구나."

새초롬하게 대답한 화련이 유화 근처에 자리를 잡고 앉았다. 그러자 유화가 몸을 꿈틀대며 움직이더니 화련의 무릎에 머리를 가져다 대었다. 그 행동을 보고 있던 화련은 피식하면서 유화에게 다리를 내어주었다. 변한 듯 변하지 않은 두 여인은 어린 시절 비밀을 얘

기했던 그곳에서 풀벌레와 산새들 소리를 듣던 화련과 유화는 한참 동안 아무 말 없이 있었다.

"정말, 오랜 친구네요."

"네, 진짜 오래됐네요."

화련의 이야기를 한참 듣던 루치페르는 자신도 모르게 감탄을 내뱉고 말았다. 그 말에 화련도 인정한다는 듯 고개를 끄덕였다.

"파엘루스 말고 유화에대해 얘기한 것은 루치페르가 처음이네요."

"그런가요? 영광이네요."

루치페르와 화련은 같은 속도로 늦지도 빠르지도 않게 길을 걸어갔다. 중간중간 아직 완전히 안전화 되지 않은 장소가 나와 꺼림칙하긴 했지만, 확실히 혼자가 아니라는 점이 마음 안정에 도움이 되었다.

"그런데 이야기 들어보니까, 이곳의 존재는 아닌 것 같은데 화련은 역시 이민자군요?"

"그렇죠. 뭐 다들 알겠지만, 저는 외향이 특이한 이곳 존재들과 다르게 평범하잖아요. 딱 인간 외형이니까 모르는 게 더 이상할 지도요."

"이제는 거의 이민자인지 토착민인지를 구분하지 않지 않나요? 아닌가? 아직도 차별은 좀 있나?"

루치페르는 말하고 실례라 생각했는지 재빨리 뒤에 말도 덧붙여다. 하지만 화련은 아니라 말하며 웃어 보였다. 사실이었으니까. 이주민. 흔히 말하는 인세의 존재들이 이 세계에 넘어오는 이들을 일컫는 말이다. 화련과 유화 모두 이민자였다. 둘이 넘어온 시기에는 이주민과 흔히 토착민이라 불리는 이 세계의 존재들과 차별이나 갈등이 있긴 했지만, 지금은 정말 거의 없다고 봐도 무방할 정도였다.

"인간의 믿음으로 존재하고 그 믿음에서 힘을 얻는데 아무것도 없는 인간을 무시한다는 게 이상하잖아요."

"하긴 지금은 이주민이고 토착민이고 딱히 구별을 짓지 않은 것 같긴 하더라고요."

그 대화를 끝으로 둘의 대화는 잠시 끊겼다. 큰 이유가 있었던 것은 아니었다. 화련은 오랜만에 꺼낸 옛이야기에 추억을 감상할 시간이 필요했고 루치페르는 화련이 처음 꺼낸 개인사에 최대한 덤덤히 반응하기 위해 노력했다. 하지만 워낙 선이 견고하던 화련의 개인사의 루치페르는 조금 더 친해진 것만 같아 기분이 좋아졌다. 그랬기에 평소였다면 그저 쓸데없는 호기심이라 여겼을 그 질문을 내뱉고 말았다.

"저기 왜 이곳으로 왔는지 물어봐도 되나요?"

루치페르의 질문에 화련이 돌연 걸음을 멈추고 루치페르를 쳐다보았다. 순간 실수한 건가 싶어 당황해 자신을 올려다보는 화련에게 어떤 말을 해야 할지 모르겠어서 말을 고르고 있을 때 화련이 입을 열었다.

"사랑에 빠져서요."

"네?"

묘한 표정을 지으며 대답하는 화련에 루치페르는 당황해 그녀가

했던 답을 다시 생각해 보았다. 하지만 그는 이해할 수 없었기에 쉽게 어떤 행동을 취할 수 없었다. 그 모습에 화련은 다시 걸음을 옮기며 다시 입을 열었다. 먼 후에 화련은 왜 질문에 답을 해줬냐는 물음에 문득 내 이야기도, 우리의 이야기도 누군가 알아줬으면 했다고 답했다.

"난 처음 이 세계를 봤을 때부터 사랑에 빠졌어요. 첫사랑이었죠. 그래서 알면서도 짝사랑을 자처했어요."

여인이 된 정화련과 양유화는 어린 시절처럼은 아니지만, 종종 그 냇가에 있는 정자에 앉아 둘의 이야기를 오순도순 나누곤 하였다. 그리고 그날도 어김없이 부모님의 허락을 간신히 받은 두 여인은 냇가로 향했다.

"와 우리 엄청 오랜만 이지 않니?"

"얘, 난 외출 자체가 오랜만이다."

"그러니 어여 올라가자. 어머니가 너랑 먹으라가 요깃거리도 좀 챙겨주셨단다."

유화는 자신이 들고있는 보따리를 살짝 흔들며 말했다. 그리곤 익숙하게 산을 올랐다. 유화의 뒤에서 올라가던 화련은 문득 평소의 산과는 조금 다른 것 같은 느낌을 받았다. 마치 전혀 다른 곳인 것처럼 평소 들리던 풀벌레 소리들과 달랐고 산 나무 또한 평소와 다른 형태였지만 이상하게도 위협적인 느낌이 들지 않았기에 찝찝함을 뒤로하고 유화를 따라 아무말 없이 올라갔다. 이 사실을 전한다면 탐험하자고 할 유화의 성향을 알기에 말하지 않은 것이기도 하였다. 하지만 이 사실은 화련의 의도와 상관없게 금방 밝혀지게 되었다.

"어머 이게 뭐야..?"

"어머, 유화야 갑자기 멈추...!"

정자에 도착하자 갑자기 멈춘 유화 때문에 잠시 휘청인 화련이 인상을 찌푸리며 유화에게 타박을 주려고 할 때 정자에 앉아있는 두 존재들을 보고 저절로 눈이 커졌다.

"구미호지"

"처음뵙겠습니다. 죄송하지만 이 장소좀 빌리겠습니다."

몸에 비늘이 돋은 남자와 꼬리가 다친 남자는 다친 몸을 정자에 뉘이고 있었다. 좋은 비단으로 지어진 옷은 넝마가 되어 옷에 말 그대로 거쳐져있었고, 온몸에는 본인들의 피인지 타인의 피인지 분간이 가지 않게 온몸에 묻어있어 기괴함을 자아냈다. 그 인외에 존재는 그 끔찍한 몸 상태와 달리 편안한 표정으로 몸이 굳어 조금도 움직이지 못하고 있는 두 사람을 바라보았다.

"너무 겁먹지마, 설마 잡아먹기라도 할까봐"

"죄송하지만 정자좀 빌리겠습니다."

두 존재가 말을 걸어왔지만, 여전히 그 둘은 아무런 행동을 취하지 않았다. 그 모습을 보던 두 존재는 쓴웃음을 지을 수 밖에없었다. 평범한 백성의 몇달치 식비와 맞먹을 만큼의 비싼 비단으로 지어진 저고리, 그리고 그 저고리에 달린 노리개는 돈좀 있다는 안에서도 구하지 못한다던 타국에서 수입해온 노리개였다. 그녀들을 이루고 있는 모든 것들이 그녀들이 얼마나 좋은 안 아가씨들인지를 알려주고 있었다. 그런 귀한 아가씨들이 피가 낭자하게 묻은 두 사내를 산에서 마주쳤으니 놀라는 것이 당연하다 여긴 두 존재는 조금 미안한 마음이 들었다. 하지만 화련과 유화의 아름다움과 아름다움의 진가는 그녀들이 입고 있는 옷에서 나오는 것이 아니었다.

"인사가 늦었습니다. 정가 화련입니다."

"양가 유화입니다."

화련과 유화는 언제 겁에 질렸냐는 듯 평소와 같은 단정한 표정을 띄우며 인외의 존재들에게 인사했다. 아까 까지와 전혀 다른 사람인 것 같이 우아한 자태였다. 허리는 곧게 펴있고, 총명하게 빛나는 두 눈동자, 익숙 치 않은 존재를 만났음에도 예의를 갖추는 모습. 그 모든 것이 그녀들을 증명했을 뿐이다. 정자에 누워있던 두 사내는 예의를 갖추기 위해 힘든 몸을 일으켰다. 일어나고 싶었지만 아직까지 모리라 판단했기에 정자에 앉아 다시 진지하게 자신들 소개했다.

"구미호 일족 후예, 이율이라합니다. 만나게 되어 영광이에요. 아가씨들"

"청호라합니다. 허락 없이 자리를 차지해 죄송합니다."

"참고로 청호는 용왕의 막내아들이지, 육지와 바다를 잇는 수호신이었지. 이곳 기준 120년 전쯤에"

자신을 구미호의 일족이라 소개한 남성과 용왕의 막내 아들이라 소개한 남성은 자신들이 갖출 수 있는 예의를 차리며 자신들을 소개했다. 거기다 위협이 되지 않음을 알리고 싶었던 것인지 가지고 있던 무기들도 느릿하게 꺼낸 후 정자으로 부터 멀리 던져버리곤 무해한 미소만을 지었다.

"다치신 듯 한데, 의원이라도 필요하신가요?"

"일단 이 연고라도 받으세요."

먼저 다가간 것은 화련이었다. 두 존재 역시 제지하지 않았다. 그 뒤를 유화도 다가가 들고 있던 보따리에서 연고를 꺼내 건네자 자신을 구미호라고 소개한 이율이 그 연고를 받았다.

"고마워, 친절한 아가씨들이네."

주황빛 머리카락과 그와 비슷한 눈동자를 가진 이율은 구미호라 소개한 것과 같이 총 9개의 꼬리를 살랑살랑 흔들며 여우 같은 미소를 지었다. 아름답고 야살스럽게 웃는 모습이 참으로 구미호 같다는 생각이 들었다. 구미호 답게 능글거리며 타인의 호의를 쉽게 사는그는 잘생겼다기보다는 예쁜 구미호였다.

"걱정 감사합니다. 하지만 괜찮습니다. 몇시간 이내로 금방 회복될터이니."

연고를 받아들고 얼굴 쪽 상처에 바르던 이율을 한번 쳐다보던 청호라는 사내는 고지식해 보이는 얼굴에 단정한 미소를 띄우며 답했다. 마치 어디선가 마주쳤을 만한 지체 높은 안의 자식과 함께 이야기를 나누었을 때 이런 느낌을 받았던 것 같은 기분이 들었다. 바다색을 닮은 긴 머리카락과 흰 배경에 금색 수가 놓아져 있는 두건을 두르고 이율보다 조금 더 격식을 차린듯한 옷을 입고 있는 청년은 여러모로 이율과는 반대되는 사람이었다. 물론 팔 쪽에 돋아난 비늘에 시선이 가긴 했지만 생각보다 기괴하거나 불쾌하다는 생각이 들진 않았다. 오히려 바다의 자식임을 증명하는 것 같다는 생각만이 들었다. 유들거리는 이율과 고지식한듯 보이는 청호는 정반대되는 인물들이었다. 구미호와 용왕의 자식이라는 터무니없는 소개를 믿지 않을 수 없는 두 존재의 외모에 화련과 유화는 의심하길 포기하고 인외에 존재에게 호의를 베풀기로 결정했다.

"이곳은 저희 아버님께서 소유하고 계신 산입니다. 인외의 존재는 모르겠으나 사람들은 쉽게 접근하지 않을 터이니 편히 있으시지요."

"베풀어주신 선의에 감사드립니다. 소저."

"고마워, 아가씨. 아무리 오래 걸려도 이틀이면 이곳을 떠날거니까 그동안만 이곳을 사용해도 될까?"

"물론입니다."

유화는 흔쾌히 장소 이용을 허락해 주었다. 화련 또한 고개를 끄덕이며 동의를 표했다. 그 흔쾌한 허락에 이율과 청호는 감사 인사를 건넸다.

"여기 요깃거리가 있습니다. 음식을 가져다 드릴 순 없지만 일단 오늘은 이걸로 해결하세요."

"감사합니다."

"고마워, 유화 아가씨, 맞나?"

"맞아요."

"저희는 이만 돌아가겠습니다. 부디 두 분 모두 평안한 밤 되시기를"

"부디 평안한 밤 되시기를, 다시 한 번 호의에 감사합니다. 아가씨들"

화련과 유화는 인사를 건네고 아직은 밝은 주황빛이 도는 하늘을 바라보며 조금 발을 빨리 옮겼다. 올라온지 얼마 지나지 않은 것 같은데 두 존재를 마주친 화련과 유화는 긴장이 풀린건지 자꾸 풀리는 다리에 힘을 주며 서로에게 의지하며 산을 내려왔다.

"화련아, 내가 꿈을 꿨던 것은 아니겠지.?"

"아니다, 그게 꿈일리 없잖아. 구미호에 용왕님의 자식이라니.. 참 거짓말 같구나.."

그 말을 끝으로 두 사람은 또 한참 동안 말을 잇지 못하였다. 하지만 단 한 가지 두 사람은 말하지 않아도 알 수 있었다. 오늘 일에 대해서는 그 누구에게도 말하지 않아야 한다는 것을 말이다. 신비로운 꿈을 꾼 것 같기도 하였다. 옛날 어린 시절 설화에서만 듣던 존재들을 만나고 왔다고 말하면 그 누가 믿을까, 만약 믿는다면 더한 문제가 발생하게 된다. 사람들은 그 존재들을 얻기 위해 무슨 짓이라도 할 것이다. 산을 불태울 수도 바다의 모든 것을 파괴할 수도 있다. 그러니 이 사실은 화련과 유화너무 나도 잘 알고 있었기에 그 둘은 오늘 일을 비밀로 하기로 했다. 두 사람의 침묵은 이 의견에 대한 동의였다.

"얘, 빨리 가자꾸나. 어머니 아버지께 혼나기 싫다."

"그래, 그래야지."

흥미로운 일 하나 없는, 고운 것만 보고 자라난 정원의 꽃 같은 인생을 살아가던 화련과 유화의 인생은 오늘을 기점으로 뿌리까지 뽑혀 새로운 땅에 적응해야 할 것이다. 화련과 유화가 살아오던 세상이 확장되고 변화하는 첫날, 앞으로 닥칠 일을 예상하며 조금 혼란스러운 마음과 하늘에 붕 뜬 듯 들뜬 마음을 애써 가라앉으며 다시금 발을 빠르게 옮겼다. 감정을 갈무리하는 일은 지체 높은 안에 태어난 여인에게는 그 무엇보다도 쉬운 일이었기 때문에 화련과 유화는 숲을 오르기 전과 같은 표정과 몸짓으로 언제나 그랬든 자신들의 감정들을 숨기고 꽃 자매들은 자신들의 정원으로 돌아갔다.

오랜만에 나선 나들이는 생각보다 화련과 유화의 체력을 많이 앗아갔다. 신비로운 이외의 존재가 양가 가옥 뒤 언덕이라 불려도 될 만큼 작은 산, 정자에는 피를 범벅으로 묻히고 옷은 넝마가 된 구미호와 용왕의 자식이 휴식을 취하고 있다고 생각하자 아까와는 다른 감정이 올라왔다. 머리가 지끈거리는 것을 느끼며 산 입구 아래 자신들을 기다리고 있던 여종들에게 다가갔다.

"아구, 애기씨들 생각보다 빨리 오셨네유. 오랜만에 나들이인디 왜 이리 피곤해 보이신데유?"

"순이야, 나 피곤해. 어서 돌아가자."

"아구, 알았어요. 화련 애기씨께서도 조심히 들어가셔유"

"그래. 유화 잘 모셔라."

가까운 유화가 먼저 안으로 쏙 들어가자 화련을 배웅하기 위해 여종 순이가 공손히 고개를 숙이자 화련도 웃음으로 화답한 후 발걸음을 옮기기 시작했다. 그러자 화련의 여종인 홍이가 조용히 그 뒤를 따라왔다.

"아가씨, 오늘은 생각보다 빠르게 돌아오셨네요.?"

조근조근 조용히 건네오는 물음에 화련은 발을 잠시 멈추고 자신보다 한걸음 뒤에서 걸어오던 홍이 또한 화련에 멈춤에 고개를 갸웃거리며 멈췄다.

“왜 그러시나요? 아씨.“

“그냥, 아주 오랜만에 언덕을 오르니 이상하게 힘들더구나. 그래서. 그냥 그래서 그랬단다.“

“그럼 어서 가서 목욕부터 하셔요.“

“그래, 부탁 좀 하자꾸나. 항상 고맙다.“

잠시 자신이 다녀온 산을 바라보던 화련은 의미를 모를 표정을 지었다. 그리곤 자신을 위해 항상 최선을 다해주는 홍이에게 다정하게 미소 지어준 다시 앞을 바라보고 걸었다. 여종 홍이는 의문이 들었지만 오래 생각하지 않았다. 그저 자신의 감정 동요를 들키지 않으려 노력하는 주인을 위해 조용히 그 뒤를 따를 뿐이었다.

“아이고, 아씨. 생각보다 빨리 돌아오셨네요. 주인님! 아씨 돌아오셨구먼유!“

“화련이 이제 오는 것이냐.“

“어머니, 예. 지금 돌아왔습니다.“

집에 도착한 화련은 자신을 맞이해주는 어머니를 향해 공손히 인사했다. 화련과 닮은 단아한 여인은 다정한 미소를 지으며 화련에게 다가왔다.

“생각보다 빨리 왔구나. 무슨 일 있더냐?”

“아니요. 생각보다 해가 빨리 져서요. 어두운 숲을 잘 내려올 자신도 없어서요. 저 아시잖아요”

화련이 애교스럽게 말하며 자연스럽게 팔짱을 끼웠다. 두 모녀는 익숙하게 팔짱을 낀 채로 집 안으로 들어섰다.

"하하, 그래 잘했다. 생각보다 해가 빨리 져서 걱정하던 참이었는데. 다행이구나."

"그러게요. 아, 아버님은요?"

"슬슬 돌아오실 게다. 자 날이 생각보다 춥다. 어서 들어가자꾸나."

"네, 어머님."

조신이 걸으며 화사하게 미소지은 화련은 어머니의 뒤를 따라 예의에 맞게 발을 움직였다. 그리곤 자신의 방으로 돌아온 화련은 홍이의 도움을 받아 옷을 갈아입은 후 그녀의 아버지가 돌아오기 전까지 방에서 기다리겠다고 말을 전했다.

"아버님 오시면 알려주겠니?"

"예, 애기씨. 편히 쉬세요."

"그래, 너도 이제 쉬거라."

홍이는 고개를 숙이며 천천히 방에서 물러났다. 홍이가 완전히 복도를 지나갈 때까지 허리를 세우고 있다 인기척이 살아지자 꼿꼿하게 피고 있던 허리를 숙이고 한숨을 내쉬었다.

"아, 정말 오늘따라 힘든 날이네."

머릿속은 조금 전 만나고 온 존재들로 채워져 있어 평소처럼 집에서 지내는 것은 너무나도 많은 피로를 잡아먹었다. 감히 누가 그녀의 말을 엿듣겠는가 싶지만 그럼 에도 자꾸만 불안한 마음에 평소보다 더 행동에 의식하다가 드디어 혼자가 되자 온몸을 긴장시키고 있던 피로가 한 번에 몰려왔다.

"아, 정말 피곤하구나. 유화 얘는 잘 갔는지 모르겠네."

화련은 결국 정돈되어있는 이불에 몸을 뉘었다. 포근하고 부들거리는 좋은 재질의 이불이 마치 유혹하듯 몸을 감쌌다. 긴장이 풀리면서 나른해진 몸은 더이상 주인의 말을 들을 수 없었다.

"아, 이대로 잠드는 거 아닌지 몰라."

자꾸만 눈꺼풀이 감긴다. 마치 물을 머금은 솜처럼 도저히 거스를 수 없는 잠이 찾아왔다. 마치 한순간에 촛불이 꺼지는 것처럼 화련은 잠들었다. 꿈보다 더 꿈같은 현실은, 생각보다 피로했다.

"애기씨, 어머. 좋은 꿈 꾸셔요. 아가씨."

화련을 부르러 온 홍이가 잠든 화련을 보고 흠칫 놀랐지만 이내 다정한 미소를 지으며 그녀에게 이불을 덮어주었다. 그리곤 방 안에 있던 촛불을 꺼준 후 조심스럽게 방 밖으로 나섰다. 문을 조용히 닫고 홍이는 까치발로 살금살금 발을 옮겼다. 유난히 잠귀가 밝고 잠들지 못하는 주인의 오랜만에 숙면을 방해하고 싶지 않았던 홍이는 이제 막 마루에 올라온 정가 부부에게 다가갔다.

"주인님, 오셨어요."

"그래, 홍이구나. 화련이를 데리러 가지 않았더냐? 어찌 혼자 오는 것이냐"

"그것이 애기씨께서 주무셔서요. 깨워올까요?"

"어머, 화련이가 벌써 잔다고? 지금이 신시인데 벌써?"

평소 놀라지 않은 점잖은 두 부부는 자신의 딸의 취침 소식에 눈을 동그랗게 뜨고 서로를 바라보았다. 그리곤 걱정스러움이 가득 묻어나는 표정으로 입을 열었다.

"아무래도, 요 며칠 잠을 통 못 자더니, 피로가 한번에 몰려왔나

봐요.”

“몸이 안 좋은 건가? 부인께선 들은 것 없으시오?”

“예, 워낙 힘들어도 말을 하지 않은 아이 인지라”

“뭐, 내일 아침에 물어봅시다. 단지 피로했던 것이라면 내일이면 충분히 나아질 것이니. 부인께서도 너무 걱정하지 마시오.”

“예, 그래야지요. 밖에 너무 오래 세워두었네요. 부군 시장하시죠? ”

화련의 어머니는 다시금 단아하게 미소지으며 답했다. 그 모습을 바라보던 화련의 아버지는 미소지으며 그녀의 어깨를 다정하게 감싸안았다.

“아닙니다. 오랜만에 부인은 저와 오붓하게 식사나 하시지오.”

화련의 아버지이자 가문의 가주 정재운은 자신의 딸 방쪽 잠시 응시하다 뒤에 서있던 하인을 불렀다.

“내일 아침 솜씨 좋은 의원을 데려오너라”

“예, 알겠습니다. 주인님”

정재운은 말을 마치고 뒤로 돌아 다시 방 안으로 들어갔다. 그 모습을 모두 지켜보던 홍이 또한 자신의 방으로 돌아가기 위해 뒤를 돌아보자 아직 완전히 어둡지 않은 하늘에 보름달 떠 있는 것을 보았다. 평소와 달리 약간 푸르스름해 보이는 커다란 달은 정확히 양가 가채 뒷산, 자신이 모시는 아까까지가 다녀온 그 산 위에서 모습을 나타냈다.

“저게 뭐지? 오늘이 보름이던가?”

그 평소와 다른 장면에 고개를 갸웃거리긴 했지만 대수롭지 않게 생각한 홍이는 다시 발을 옮겨 자신의 방으로 향했다. 고을 사람들 또한 그 특이한 달을 신기하게 바라보았지만 곧이어 신경도 쓰지 않고 다시 관심을 거두었다. 곧이어 완전히 어두워진 하늘에 노란색 반달이 다른 위치에 나타났지만, 그 누구도 의문을 가지지 않았다. 마치 홀리기라도 한 듯이 말이다.

"힘들진 않나?"

"힘들긴 내가 아무리 오랜만에 힘을 쓴다 해도 이 정도는 가뿐해, 걱정하지마. 청호"

"하하 그래 농담 부리는 모습 보니 살만하나 보군"

비이상적으로 이율의 곁에서만 바람이 불어왔다. 흩날리는 바람이 그의 꼬리와 머리카락을 헤집어 놓았다. 곧이어 고을 사람들이 푸르스름한 달이라고 여겼던 것으로부터 구슬 하나가 내려왔다. 그의 주황빛 머리와 닮은 그 구슬은 그 어떤 보석보다 영롱하게 빛나고 있었다.

꽃잎이 흩날리듯 부유하며 이율의 손으로 안착한 구슬을 바라보며 이율은 얼굴을 찡그렸다. 손으로 구슬을 감으며 다시 눈을 감자 그의 몸 주변에서 아까와 같은 신비로운 바람이 불어왔다. 그 광경을 지켜보던 청호는 이상한 낌새에 싸고 옷을 정리하다 말고 그를 응시했다.

"무슨 일이라도."

"음, 아쉽게도 문 열 수 없다는군."

"왜?"

"어떤 개자식이 도망을, 하필 오늘 도망가셨대. 이 개자식이."

"돌아가긴 글렀군."

출장이 길어진다는 소식에 이율은 길길이 날뛰며 욕지거리를 내뱉었다. 하필 장기 출장을 마치고 드디어 복귀하는 오늘 조사 중인 존재가 도주한 건지 이 세상 모든 것을 욕하며 짜증을 내다 힘에 부치자 다시 정자로 돌아와 앉았다.

"아, 제길. 그 새끼 내가 온몸을 찢어서 각 세계에 묻어 버릴라. 개자식"

"화내면 연결이 되나, 그만 화내고 앉게나."

".. 넌 검이나 집어넣어"

점잖게 말하는 얼굴과 달리 분노에 검을 빼든 청호를 보며 이율은 어이없다는 듯 말하곤 정자에 벌러덩 누워버렸다. 평소 느긋하고 인내심 깊은 청호도 분노한 만큼 이번 장기 출장은 피로했다. 돌아가면 승진이고 뭐고 휴가나 몰아서 쓰려 했으나 도주 사태로 인해 일주일은 꼼짝없이 인간 세계에 발이 묶여 버렸다.

"아, 내 휴가. 나를 사회로부터 거리 둘 계획이었는데. 아아"

"온 김에 고향이나 들려볼까."

넋이 나간 듯 중얼거리는 이율은 발광하듯 몸을 흔들었다. 그 모습에 아랑곳하지 않은 청호는 다시금 평정심을 되찾고 남은 시간 동안 무엇을 할지 고민했다. 참 심란한 밤이었다.

"애기씨, 일어나셔요"

"으음, 홍이야,"

화련은 자신을 깨우는 홍이의 목소리에 몸을 뒤척이며 결국 몸을 일으켜 세웠다. 아주 오랜만에 몸이 가벼운 느낌에 꽤 만족스럽게 기지개를 피고 눈을 떴다.

“해는 아직 안 뜬 듯한데”

“예, 아침은 아닌데요. 의원님이 오셔서요?”

“의원이? 어째서?”

“어제 가주님께서 요즈음 애기씨 몸 건강이 걱정되신다고 의원님을 모셔오라 하셨거든요.”

의원이라는 말에 눈을 동그랗게 뜬 화련은 이내 이어지는 홍이에 말에 민망한 듯 웃었다. 그녀는 지금 요 몇 달간 통틀어 가장 훌륭한 몸 상태이었으니 말이다. 요 몇 달 고을에 행사나 가족 행사가 겹쳐 몸이 피로에 젖어 있다가 어제 신비한 존재들까지 만나자 피로가 한번에 왔고 평소보다 2배는 더 잔듯한 수면시간에 화련의 몸은 그 어느 때보다도 가볍고 산뜻했다.

“아버님도 참, 나 정말 괜찮은데. 그저 잠이 부족했을 뿐이야.”

“그래도 진찰받아 나쁠 것 없잖아요? 마님도 내색은 안 하시지만 요즘 애기씨 걱정이 말이 아니세요.”

“그래, 아버님 어머님 계속 걱정하시는 것 보다 확인받는 게 낫겠지. 홍이야 옷 좀 입혀주렴.”

“예, 애기씨”

화련은 홍이의 도움으로 의복을 갈아입은 후 의원이 있다는 방으로 향하였다. 아침과 새벽 사이 아직 해가 모습을 보이지 않아 오묘한 색감이 하늘을 채웠다. 산뜻한 냄새가 화련의 코를 훑어 지나갔다. 고요한 시간, 아직 대부분 하인이 방에서 나오지 않아 평소보다 더욱 고요하게 느껴지는 저택에 화련을 따르는 홍이의 발소리만 이 울렸다.

“마님, 주인님. 애기씨 모셔왔습니다.”

“어서 들어오거라.”

“아버님, 어머님 지난밤 안녕하셨습니까”

“그래 화련아, 푹 잤느냐?

화련은 부모님께 문안 인사를 드린 후 옆방에서 대기하고 있던 의원에게 진찰받았다. 화련을 이리저리 살펴보던 의원은 마지막으로 화련의 맥을 짚어보더니 알겠다는 듯 고개를 끄덕였다. 그 행동에 화련의 부모는 걱정스러운 눈으로 그에게 물었다.

“심각한 병인가?”

“아니옵니다. 그저 단지 피로가 쌓이신 듯 하온데, 원체 몸이 약하신 편이신 듯 합니다만 맞습니까?”

“맞네, 화련이는 어렸을 때부터 유난히 허약하긴 했네만, 철든 이후로는 큰 차이가 없었네만.”

“나이가 들면서 집에서 해주신 약이나 치료가 쌓이면서 어느 정도 잔병치레는 적어졌을 태지만 근본적으론 몸이 약하신 편이옵니다. 요 몇 달 행사가 겹쳤다 들었사옵니다. 맞습니까?”

“맞네, 요 몇 달 유난히 일이 많았지.”

“몸이 버틸 수 있는 피로의 한계를 넘은 듯 예상하온데, 숙면 한 번으로 이 정도로 회복되다니 놀랍군요. 몸이 허약하신 체질이라 한다면 열감기라도 나야지 보통이니까요.”

“홍이야, 화련이 최근에 열감기 든 적 있니?”

"아닙니다. 마님. 잠을 좀 설치긴 하셨지만 그런 적은 없사옵니다."

의원의 말을 들은 정재운은 속상하다는 듯 혀를 차며 말했다.

"아이고, 이놈아. 그리 힘들면 아비한테 말을 했어야지!"

혼내는 듯 말했지만, 그 말에 잔뜩 묻어있는 걱정에 화련은 헤헤 하고 웃어 보일 뿐이었다. 정재운도 알고 있다. 자신의 딸로 태어난 이상 아무리 아프고 힘들어도 해야 할 일이 있다는 것을, 정씨 성을 달고 태어난 이상 화련은 많은 의무를 짊어지게 된다는 것을 말이다.

"하하, 그러게요. 제가 미련했네요. 죄송해요. 걱정하셨어요?"

그러니 말할 수 없었을 것이다. 집안 어르신 말씀대로 인내하고 인내하고 인내했을 것이다. 그것이 지체 높은 집안에 태어난 여식이 갖추어야 할 덕목이라 말하니 말이다.

"아니다. 아니야. 알아차리지 못한 부모 잘못이지. 넌 죄가 없단다. 그러니 화련아 눈치보지 말려. 다음부턴 아프거든 바로 말하거라. 이 어미 걱정된단다."

"예, 어머니"

화련은 어머님의 부드러운 걱정에 배시시 미소지었다. 정재운은 그녀가 왜 말하지 못했는지 알았기에 더 다그칠 수 없었다. 그 마음을 안 그의 부인이 말을 이었다. 배시시 웃는 화련을 바라보며 재운은 복잡한 마음으로 따라 웃었다. 정계에 나가서 많은 것을 얻었고 부와 명예를 얻어 세상만사 부러울 게 하나 없는 삶을 살았다 하지만 안타깝게도 그의 딸 정화련에게 이런 삶을 물려줄 수 없다.

똑똑하고 지혜롭고 올곧은 심성을 가져 훌륭한 가주가 될 씨앗이지만 여인이기에 그저 아름다운 꽃으로, 화단에서만 자라야 할 운명이었다.

"그래, 아가. 아비가 화내서 미안하구나. 많이 사랑한단다"

정재운, 훌륭한 군자, 한때 국왕이 가장 신뢰한 사람 중 하나였던 이, 모두가 그를 우러러보고 존경하며 경애하지만 그조차 이 시대 시선을 바꾸는 것은 불가능했다. 아무리 그가 화련을 아끼고 귀애하더라도 세상은 그러지 않을 것이다. 이 시대는 그러지 않을 것이다. 여자는 관직에 나가지 못하고 성인이 된 여인은 마음대로 나가지도 못하며 결혼하면 출가외인이 되어 재산조차 나눠 받지 못하는 세상.

"저도요. 아버님. 사랑합니다."

자신이 너무나도 사랑하는 딸 정화련이 살아가는 세상. 유난히 많았던 생각에 끝에 도달하자 정재운은 좌절했다. 슬퍼졌다. 하지만,

"아침부터 수고가 많았다. 아가. 가자 아침 먹자꾸나."

목소리를 한껏 목소리를 올려 평소처럼 말하며 화련의 어깨를 부드럽게 감쌌다. 절대 내비칠 수 없는 감정이었다. 평생 이 세상에서 살아가야 하는 자신의 딸 앞에서 이 감정을 보여주는 것 만큼 잔인한 일이 없으니 말이다.

"예, 아버님."

"오늘도 유화랑 나들이나 다녀오거라. 오늘은 우리쪽에서 간식을 좀 챙겨가려무나."

"예, 아버님. 그리하겠습니다."

"그래, 그래."

화련은 평소보다 이른 아침 식사를 마치고 방으로 들어왔다. 홍이에겐 쉬라고 말해서 방안에는 그녀 혼자였다.

"아, 아침부터 많은 일이 있었네."

아침부터 의원의 진찰을 받았다. 사실 진찰을 받는 것조차 민망할 정도로 몸 상태는 최고였지만, 걱정스럽게 자신을 바라보던 부모님을 보니 마음이 안 좋아졌다.

"아버님 표정이 안 좋아 보이시던데, 많이 걱정하셨나, 정말 멀쩡한데"

평소보다 기분이 조금 침울했던 자신의 아버지를 떠올리고 화련은 자신의 걱정 하느라 그런것 이라 생각해 다시 죄송스러운 마음이 들었다.

"아, 이제 뭐하지."

평소보다 이른 기상으로 하릴없는 시간이 생겨버렸다. 아마 유화와 그 뒷산으로 나들이 가고 싶으나 아무리 빨라도 오후 이후에나 가능할 것이다.

"아, 뒷산. 아직도 계시려나..그분들"

화련은 뒷산이란 생각에 어제 만났던 이외의 존재들이 떠올랐다. 마치 하룻밤 꿈을 꾼것 같지 이상하게 만치 기억이 희미했다. 이상한 일이었다. 어제 그 충격적인 경험이 하룻밤새 이렇게 희미해진다니 이상하다 못해 못내 소름이 끼쳐왔다.

"어, 나 완전히 잊고 있었어"

완전히 잊고 있었다. 정말 아침에 많은 일이 있어 잠시 기억에 한편으로 물러난 것이 아니라 정말 기억 속에서 지워진 것처럼 말이다. 만약 뒷산이라는 장소를 조금이라도 늦게 떠올렸다면 어제 그들을 만났다는 것을 완전히 잊어버렸을 것이라는 생각이 강하게 들었다.

"아무래도 빨리 그곳으로 가봐야 할 것 같네"

이상한 호기심이 화련의 몸을 집어삼켰다. 이 상황에 두려울 만도 하지만 이상하게도 흥미로움만을 느낀 화련이었다.

"얘, 너도 그랬니?"

"그치, 그렇지! 참 신통하구나! 어쩜 우리 둘 다 그 큰 사건을 잊어버릴 수 있니"

"내 말이 그 말이다. 참 무언가에 홀린 듯 말이다."

화련과 유화는 평소보다 급한 걸음으로 오르막길을 오르며 대화를 이어나갔다. 화련이 언제 찾아가야 좋을지 고민하고 있을 때 유화의 여종 순이가 저택으로 찾아와 나들이 가서 점심을 먹자고 말을 전했다. 그 말에 화련은 바로 긍정하고 할멈이 지어주는 음식 몇 가지가 쌓인 보따리를 들고 양가 저택으로 향했다.

저택 앞에는 이미 채비를 마친 유화가 발을 동동 구르며 그녀를 기다리고 있었다. 화련의 뒤를 따르던 홍이는 그 모습을 보며 고개를 갸웃거렸다.

"애기씨, 오늘 유화 애기씨랑 약속이라도 있으셨어요?"

"뭐, 암묵적인 약속이었긴 하지. 암튼 우리 해질 때 즈음 내려올 테니까 너도 어디서 쉬고 있으렴."

"예, 애기씨. 제 걱정하지 마시고 재밌게 다녀오셔요."

평소보다 급해 보이는 자신들의 주인들을 보며 의문이 들긴 했지만, 순이와 홍이 모두 그저 비탈길 조심히 다녀오라는 당부만 할 뿐 따른 말을 구태여 붙이지 않았다.

"뭐가 저리 바쁘시데유, 너 뭐 아는 거 없으냐?"

"나도 모른다. 순이야. 어디 나들이나 갈까?"

"나야 좋지, 그럼 우린 고목 나무나 가자"

치맛자락을 휘날리며 사라지는 두 아가씨의 뒷모습을 바라보며 미소짓던 홍이와 순이는 고을 중간 위치한 고목 나무 아래로 향했다.

"화련아! 너도 그랬니? 나 몇 시진 전까지만 해도 어제 일을 완전히 잊어버렸다니까!"

"나도, 나도 그랬다. 유화야. 마치 무언가에 홀린 듯 말이다."

"아, 정말 빌어먹게 지루한 일상에 이렇게 흥미로운 일이 얼마만인지!"

"조심히 가. 그러다 넘어지면 나는 너 부축 못 한다."

"걱정하지 마렴. 넘어져도 일단 올라갈 테니까"

잔뜩 상기된 유화를 보며 천천히 가라고 타박한 화련도 유화 못지않게 흥분된 상태였다. 저잣거리 광대들에게서나 들을 수 있었던 신비로운 일들이, 지루한 두 여인의 일상에 생겨난 것에 두 여인은 도저히 침착할 수 없었다. 그리고 숲을 오를 때마다 그 흥분감은 점점 설렘으로 변해갔다. 어제 숲을 오르던, 평소의 숲과는 다른 모

습이 펼쳐졌기 때문이다. 그리고 생각보다 길지 않은 시간 만에 정자가 있는 곳에 도달했을 때

"어? 어? 뭐지? 왜지?"

"가뿐하다며, 이율"

잔뜩 당황한 두 인외의 존재들을 마주할 수 있었다.

"지난밤, 후하, 평안하게 지내셨는지요?"

"후으, 너무 이르게 찾아뵈어 죄송합니다. 이율님, 청호님"

정자에 늘어져 있던 이율도 검술을 연마하고 있던 청호도 오르막길을 급하게 오르느라 숨을 헐떡이며 등장한 두 여인을 보며 두 눈을 동그랗게 떴다. 마치 그녀들이 올 것이라고 조금도 예상하지 못한 듯 보였다.

"하하, 참 어제부터 뭐가 맞는 게 하나도 없네"

분명 조금 전까지 숨을 헐떡였던 주제에 금방 다시 평온함을 되찾은 화련과 유화를 보며 이율은 활짝 미소지으며 말했다. 해탈이었다.

"아가씨들 좋은 아침이야."

"평안한 밤 되셨습니까?"

워낙 무뚝뚝해 표정 변화가 거의 없는 청호의 얼굴에도 당혹스러움이 그대로 드러났다. 예의 바른말과 정반대인 표정에 화련과 유화는 이 상황에 대한 설명을 들을 수 있을 거란 확신이 들었다.

"예, 저는 아주 오랜만에 푹 잤답니다. 아주 몸이 가볍습니다."

"저도요. 저도 그래요. 아주 황홀한 밤이었답니다."

"하하, 젠장. 내가 이 개자식 무조건 잡아 죽인다."

무슨 생각인 건지 두 눈을 반짝반짝 빛내며 자신들을 바라보고 있는 화련과 유화를 본 이율을 이를 부드득 갈며 다시 한번 조사 중 도망친 도주자를 저주했다. 아주 귀찮은 일이 펼쳐질 것만 같다는 확신이 들었다.

"오늘은 피가 없으니까 아가씨들도 여기 와서 앉아. 궁금한 게 많아 보이니까"

마치 포기한 듯 느릿하게 입을 땐 이율은 일으켜 세웠던 몸을 다시 누웠다. 워낙 정자가 넓어 그가 편안하게 누웠어도 충분한 공간이 확보되었다. 이율의 행동에 청호도 땀을 대충 닦은 후 정자로 다가와 끄트머리 쪽에 허리를 곧게 세우고 앉았다. 누워있는 이율을 향해 눈치를 주기도 했지만 조금도 신경 쓰지 않은 이율이었다.

"궁금한 거 있으면 물어봐, 대답할 수 있는 선에서 최대한 답해줄게."

"그럼! 오늘 아침까지 두 분에 대한 기억이 이상하리만치 기억이 안 나거나 거의 희미했는데 무슨 이유인지요?"

"네, 능력이야. 정확히는 구미호의 여우 구슬의 능력이지. 한 마디로 두 아가씨께선 이 구미호에게 홀리셨던 거지. 뭐 무슨 이유인지 풀린 것 같지만"

"그렇다면 왜 저희의 기억을 지우려 하신 건가요? 역시 저희가 이 사실을 타인에게 알릴까 걱정이 되셨나요?"

"아닙니다. 원래의 원칙일 뿐이죠. 실제로 소저들뿐 아니라 이 고을 전체 사람들에게도 이율이 능력을 썼습니다."

"그렇다면 왜 저희는 비교적 이율님의 힘을 덜 받은 건가요?"

화련과 유화의 질문에 성심성의껏 답을 해주던 이율과 청호는 화련의 마지막 질문에 선뜻 누구도 입을 열지 못했다. 한참 고민하던 두 존재 중 먼저 입을 연 것은 이율이었다.

"확신은 아니고, 몇 가지 가설은 있지?"

"가설이요?"

"일단 첫 번째, 두 아가씨께서 존재들의 힘이 잘 들지 않은 체질일 경우. 뭐 인간 세상에서 흔히들 말하는 무녀들이나 무당들이 이런 편이지."

"체질인가요.."

"두 번째, 아가씨들께서 우리와 만난 게 생각보다 더 충격이 이어서 내 능력이 덜 미친 경우, 뭐 이 경우에는 어제 나의 몸 상태로 인한 능력 사용이 미숙했던 것도 어느 정도 있겠지."

"확실히 뇌리에 박히듯 충격적이었기도 했죠."

"그리고, 마지막으로."

이율의 설명을 집중해 듣던 화련과 유화는 말끝을 흐리며 무언가 고민하는 듯 입을 열었다, 닫았다를 계속 반복하며 하늘만 바라보는 이율 때문에 답답해 미칠 지경이었다. 그럼 에도 화련과 유화는 그를 닦달하지 않고 그저 마음을 다스리며 기다릴 뿐이었다. 그녀들의 답답함을 해소해 준 것은 의외로 그 광경을 지켜보며 내내 침묵을 유지하고 있던 청호였다.

"소저들께서 선택을 받은 경우"

지니고 다니던 검을 소중히 정비하며 무덤덤하게 입을 연 청호는 당황한 이율은 완전히 무시한 채 흥미로움으로 눈을 빛내는 두 여인을 보며 말을 이었다.

"이곳과는 다른, 우리가 온 세계로부터 선택을 받은 경우입니다."

"다른 세계요?"

"..."

"청호 그거 맞나?"

청호는 거기까지 말하고 다시 침묵했다. 계속해서 누워있던 이율도 몸을 한 번에 일으켜 그를 바라보았다. 화련과 유화 또한 자신들의 상식에서 벗어난 개념들을 받아들이고 이해하기 위해 머리를 계속해서 회전시켰다. 물론 자신의 세계가 확장되는 것을 느낌과 동시에 이유 모를 거대한 무언가로부터 경건함과 두려움이 몰려왔다. 처음 느껴보는 경외에 감정이었다.

생각을 완전히 정한 청화가 우직하게 다물고 있던 입을 열었다. 그에 따라 이율도 좀 전과 사뭇 다른 진지한 얼굴로 두 여인을 진중하게 응시했다.

"인간을 비롯한 생명체들이 살아가는 인간 세계, 그리고 그 인간 세계로부터 창조되어 힘을 부여받은 존재들이 살아가는 세계가 있습니다. 물론 세계는 나뭇가지처럼 복잡하지만. 그것은 그다지 중요 정보는 아닙니다."

".. 뭐 사실 정식 명칭도 있지만, 그냥 중앙 세계나, 중심이라고 불러."

"중앙 세계요?"

다시 한번 주어지는 완전히 새로운 지식에 파도 화련과 유화는 혼란스러운 머리를 회전시키기 위해 열심히 노력했다. 물론 이것은 노력의 영역이 아니었다는 것은 안타까운 일이었다. 그 두 여인을 지켜보던 이율과 청호는 잠시 생각을 공유하더니 이내 한 가지 제안을 했다.

"어차피 최소 일주일간 이곳, 인간 세계에 머물러야 합니다. 그러니 오늘은 이 정도로 하시지요."

"이 정자랑 숲은 우리에게 잠시 양보해주길 바라. 아가씨"

"오늘은, 이곳과 다른 세계가 있다는 것, 그리고 당신들, 즉 인간들이 만든 이야기의 힘으로 만들어지는 존재들이 살아가는 세계라는 것. 이 정도를 이해한다면 충분합니다. 그러니 너무 애쓰지 마십시오."

"네, 알겠습니다."

청호의 말에 아쉬움을 느낀 두 사람이었지만 굳이 조르지 않았다. 아직 시간은 여유로웠고 그들과 만남이 오늘이 마지막이 아니란 점을 확인한 것에 만족하기로 하였다. 하여 화련은 조금 다른 궁금증을 해소하기로 했다. 화련과 유화는 청호를 바라보고 있던 몸을 돌려 다시 정자에 누운 이율을 바라보았다. 그 시선을 느낀 이율은 몸을 흠칫 떨며 말했다.

"왜, 뭐, 또 뭐가 궁금한데"

조금 능글거리며 어느 정도의 예를 갖추는 모습마저 갖다버린것이니 빽 소리를 지르며 위협되지 않게 노려보았다. 그 모습이 잔뜩 토라진 사촌 동생을 보는 것만 같던 화련은 아이를 달래듯 다정한 미소를 머금은 채 입을 열었다.

"별건 아니고요. 불편하시면 굳이 대답해주지 않으셔도 돼요."

"으으, 일단 해봐"

"당신들의 이야기가 궁금해요. 우린 두 분의 이야기가 듣고 싶어요."

"... 우리의 이야기?"

"네! 구미호 이율, 용궁의 왕자 청호의 이야기요!"

"누군가 저희의 이야기를 묻는 건 정말 오랜만이군요. 색다르네요."

"진심이세요?"

정말 예상하지도 못한 질문이었는지 이율과 청호 두 존재 모두 넋이 나간 표정으로 대답했다. 특히 이율은 잠시 얼 타더니 이내 잔뜩 신난 아이처럼 도자기처럼 새하얀 볼에 홍조를 띄우더니 입을 열었다.

"크흠, 거의 눈치챈 것 같지만, 나와 청호는 이 나라 출신이야. 물론 내가 살았던 곳은 북쪽에 있는 깊은 산속이었고, 저자가 지냈던 곳은 바다와 산이 연결되어있는 곳으로 동쪽 끝이었지."

"역시 그러셨군요!"

유화가 고개를 끄덕이며 반응하자 이율은 입꼬리가 주체가 되지 않는다는 듯 헤벌쭉거리는 미소를 지었다. 꽤 귀여운 모습에 화련도 웃음이 나올 것 같았지만, 최대한 웃음을 참으며 그의 말에 집중했다.

"내가 살았던 산은 워낙 높고 산세가 험해서 인간은커녕 산 짐승조차도 잘 보이지 않은 곳이었어. 계절마다 색색이 변해가는 산을 그 정상에서 바라보면 아주 아름다운 곳이었지."

"저도 한 번 보고 싶어요!"

"나는 그곳에 주둔하는 구미호 일족 중 막내로 태어났어, 모두가 날 좋아했지. 구미호 중에서도 압도적인 미모를 자랑했거든."

이율은 그 말을 하면서 씨익 웃음을 보였다. 꽤 뻔뻔한 말이었지만, 꼬리를 살랑살랑 흔들며 눈을 야살스럽게 접은 모습을 보니 뭐라 하고 싶다가도 눈 녹듯 그 마음이 사라졌다.

"예, 맞습니다. 압도적인 미모이시죠"

이래서 구미호에게 사람이 홀리나 라고 생각이 든 화련과 유화는 첫 만남과 같이 장난기를 잔뜩 머금은 이율의 주황빛 눈동자를 바라보며 아이와 놀아주듯 맞장구쳤다.

"하하, 사람을 홀려 간을 빼 먹는다는 건 완전히 거짓말은 아니지만 정말 그런 일을 하는 이들은 소수였어. 인간이 되길 간절히 소망하거나 강한 힘, 신의 힘을 넘본 자들이나 실제로 그런 일을 했지."

화련과 유화의 비밀 공간, 오직 자신 그 자체로 존재할 수 있던 정자에서 여유롭게 늘어져 누워있는 꼬리 여럿 달린 존재는 생각하는 것만으로도 즐거운 것처럼 양 볼을 밝게 물든 채 중간중간 기억을 더듬으며 말을 이어나갔다. 자신이 살았던 곳이 굉장히 아름다운 곳이었다는 점, 그리고 몇몇 구미호들은 인간과 함께 살아가기도 한다는 점과 몇 없지만, 인간과 구미호와 연을 맺기도 한다는 점도 흥미를 불러일으켰다.

"실제로 내가 살던 무리에서도 한 부부 있었지. 남자 구미호와 인간 여자가 부부의 연을 맺었지. 무리에서 오래 지내지 않고 여행을 하고 싶다며 금방 산을 떠나 그 후의 일은 모르지만."

"정말, 있는 일이라니.. 가히 충격적이네요.."

"그렇지? 우리 일족 역사에도 몇 없는 경우이긴 하지, 그래도 종종 이렇게 다른 이들이 끼리 연을 맺기도 해. 그 아이는 때때론 강한 힘을 얻기도 하고 일족의 반푼이가 되어버리기도 하지. 물론 저 자는 전자지만 말이야."

타 종의 사랑 이야기에 흥미가 고조 되었을 때 이율의 마지막 말과 함께 화련과 유화의 목이 순간 청호가 앉아있었던 정자 끄트머리로 향했다. 언제 일어난 건지 검을 연마하고 있던 청호는 자신을 바라보는 시선에 고개를 돌렸다 흥미로 가득 찬 네 눈동자를 보고 흠칫 몸을 떨었다.

"제, 제가 잘못이라도?"

"내가 처음에 말해줬지? 저자가 용왕의 자식이라고."

"예 그리고 육지와 바다를 잇는 수호신이라고도 하셨지요."

"오, 화련 아가씨 기억력이 좋네. 맞아"

화련의 대답에 이율은 기특하다는 듯 말하며 자신이 대화의 주제인 것에 당황한 청호를 바라보며 씨익 하고 미소지었다. 저 치는 판을 깔아줘도 자신의 이야기를 전하지 못할 걸 알기 때문에 이율은 기꺼이 그의 이야기도 잠시 해주기로 하였다.

"청호는 바다를 다스리던 용왕과 동쪽 산을 다스리던 늑대 산신 사이에서 태어난 존재야. 근 백 년간 가장 충격적인 사안이라 이 나라에 살던 모든 존재가 난리가 났었지. 산신과 용왕의 자식이라니 처음 그 소식을 들었을 때의 충격이 아직도 기억이 나."

“어, 정말 거짓말 아니죠? 사실인 거죠?”

“그럼, 청호의 명예와 검을 걸고 맹세하지.”

“자네가 왜 내 검을 걸어, 그리고 명예 정도는 네 명예를 걸라고”

“구미호 일족 제일가는 망나니가 명예가 어딨어? 있다 하더라도 내세울 만한 건 아니니 자네의 명예가 더 낫지”

“내 검은 왜”

“자, 그래서 내가 어디까지 말했더라?”

이율의 맹세에 청호의 잘생긴 얼굴이 찌푸려졌지만 조금도 개의치 하지 않은 이율은 능글스럽게 잘 대답하다 답할 말을 찾지 못하자 완전히 무시하고 화련과 유화의 뒤로 살짝 숨어버렸다. 무시무시한 얼굴로 이율을 노려보다가도 두 여인과 눈이 마주치자 표정을 갈무리했다. 여전히 탐탁지 않은 표정에 쿡쿡하고 웃음이 나온 화련과 유화였다.

“육지의 신과 바다의 신이 만나 태어난 용궁의 막내 왕자가 바로 저 청호야. 어린 시절 그 누구도 하지 못했던 육지와 바다를 오가며 자랐지.”

여전히 화련과 유화의 등 뒤에 숨어 청호의 이야기를 전하던 이율은 자신과 청호를 빠르게 쳐다보는 두 여인을 보며 좀 전과 다른 흐뭇한 미소를 지었다. 누군가가 자신의 이야기를 이렇게 궁금해하고 집중해 듣는 것이 얼마나 오래전인지, 어여쁜 두 눈에 가득 찬 궁금증을 마주 보자 조금 감격한 이율은 그 아름다운 눈동자에 부응하기 위해 다시 숨을 고르고 이야기를 이어갔다.

"내가 알기론 용궁에서 더 오래 지냈다고 했다지, 그래서 용왕의 막내아들로 더 많이 알려져 있기도 해. 암튼 그렇게 산신과 용왕의 자식인 청호는 부모의 능력과 힘을 모두 물려받아 대단한.."

"제가 아버님의 자식으로 더 알려진 이유는 더 있습니다. 어머님께선 제가 성년이 된 후 얼마 안 가 산신에 자리에서 물러나셨었지요. 그 자리를 제 배다른 형제가 이었고 저는 육지와 바다 사이를 자유롭게 다닐 수 있었기에 그 두 곳의 경계를 연결하는 역할을 했지요. 혹자는 저를 두고 수호신이라는 말을 하기도 했지만, 그저 문지기였습니다."

이율의 유난스러운 말에 결국 청호가 끼어들었다. 이율의 말을 조금 수정한 말을 전했다. 아주 오랜만에 꺼내 보는 자신의 이야기에 청호는 조금 한 단어로 정의할 수 없는 미묘한 감정이 들었다. 기뻤다. 감격스러웠다. 여러 긍정적인 감정들이 물밀 청호를 채워나갔다. 자신의 이야기를 이렇게 집중해 들어주는 두 여인의 눈동자가 너무나도 고마웠다. 아까부터 잔뜩 신난 아이처럼 조잘거리던 이율의 마음이 조금 이해 갔다.

"대단해요! 산신님과 용왕님이라니 정말 대단한 분이셨군요! 청호님 이런 분과 함께 있을 수 있다니 영광이에요!"

청호는 이야기가 끝나기 무섭게 반응해오는 유화를 보며 이 기분 좋은 반응 또한, 이율을 신나게 한 이유 중 하나라고 생각했다. 청호 자신이 그랬으니까.

"크흠, 제가 대단한 건 아닙니다. 어머님과 아버님이 대단하셨던 거지요."

그 기분 좋은 치켜세움에 입꼬리를 부들거리며 애써 평정심을 유지하려는 청호를 보며 이율은 가소롭다는 듯 피식 웃었다.

'역시 잘할 거면서 왜 처음에 왜 빼, 빼기.'

아까까지만 해도 자신을 바라보던 눈동자들이 청호를 바라보고 있자 조금 아쉬운 마음이 들긴 했지만 아주 오랜만에 보는 친우의 들뜬 모습을 볼 수 있었기에 잠시 봐주기로 한 이율이었다.

"저기 화련 아가씨 아까부터 궁금했는데. 여기 보자기에 들은 거 음식 맞아?"

"아, 네 맞아요. 배고프신가요? 드세요. 저희 할멈 솜씨가 좋답니다. 청호님도 가서 같이 드세요"

화련은 청호에게 이것저것 질문하다 이율의 물음에 몸을 돌려 정자 입구에 놓아 져 있는 보자기를 발견하였다. 한참 이야기를 듣다가 까먹은 아침에 할멈이 싸준 음식이었다. 이제야 생각난 화련은 민망한 듯 웃으며 청호 또한 정자로 이끌었다.

"아, 저는"

"거창한 음식은 아니겠지만 요깃거리로는 충분할 것입니다."

"이율님! 어제 저희 할멈 음식이 더 맛있지 않으시던가요?"

평소 유화네 할멈과 화련이네 할멈의 요리실력은 항상 논쟁 주제였기에 유화는 재빠르게 그에 곁으로 다가가며 물었다. 그 물음에 화련도 눈에 불을 지피며 청호를 이끌고 정자로 향했다.

"무슨 소리야 음식 솜씨는 우리 할멈이 훨씬 낫지! 청호님, 청호님도 먹어보시고 결단 좀 내려주세요!"

이네 정자로 모인 인간 둘과 인외의 존재 둘은 도란도란 자리에 앉아서 또다시 이야기꽃을 피우기 시작했다. 확실히 풀어진 분위기는 더욱더 깊은 이야기의 서막이 되었다. 나눌 이야기는 많고 시간은 아직 비교적 여유로웠다. 숲이라 부르기도 어려운 언덕 중턱에 졸졸 시원하게 흐르는 시냇물과 나무를 이곳저곳 움직이는 사랑스러운 새들 풀벌레들의 노랫소리를 배경 삼아 넓은 정자에서 인간 여인 둘과 인외 존재 둘이 시간의 흐름도 느끼지 못하고 자신들의 이야기를 뽐내놓고 있었다. 살아있음을 증명하는 사랑스러움으로 아름답게 빛나는 한 때였다.

“어머, 벌써 시간이 이렇게 되었네요. 율, 청호 내일 다시 올게요.”

“그러게요. 그럼 평안한 밤 되시기를. 저흰 이만 물러가겠습니다.”

조금 전까지 해가 밝게 빛나고 있던 것만 같더니 한순간에 주위가 이율의 눈동자 색과 같은 노을의 주황빛이 스멀스멀 주위를 점령해갔다. 담소를 나누다 그 변화를 늦게 깨달은 화련과 유화는 황급히 몸을 일으켰다.

“벌써 이렇게 되었나. 급하게 내려가지 마시고 천천히 내려가십시오. 넘어지시기라도 한다면 크게 다치십니다.”

“그럼요. 걱정하지 마세요. 청호, 율 저희 갈게요”

처음보다 현저히 다른 분위기에서 아직 이른 밤 인사가 오갔다.

“어, 오늘 정말 즐거웠어. 화련, 유화도 좋은 밤 보내”

이율은 이름 뒤에 꼬박꼬박 붙이던 아가씨라는 호칭을 더 이상 붙이지 않고 이름을 불렀고, 화련과 유화 또한 님이라는 존칭의 호칭을 더 이상 쓰지 않았다.

"오늘 오랜만에 정말 즐거운 시간을 보냈습니다. 덕분입니다."

태생이 고지식하기로 태어난 청호는 여전히 그녀들에게 격식을 차리고 있었다. 하지만 확실히 처음보다는 친근한 분위기인 것은 사실이었다. 평생을 그렇게 살아온 청호에겐 단시간에 이렇게까지 편하게 지내게 된 것조차 이례 없는 일이었다.

"화련아"

"네, 어머님"

화련은 자신을 부르는 어머니의 목소리에 대문 밖으로 나서던 발을 멈춘후 뒤를 바라보았다. 바라본 곳에는 자신을 걱정스럽게 바라보고 있는 화련의 어머니가 서 있었다.

"어젯밤 무슨 일 없었니?"

"무슨 일이요?"

"아니, 그냥 무열아범 말로는 밤사이 산짐승이 들어왔는지 동물의 털이 마당에 있더구나. 혹시나 해서 묻는 말이다."

"산짐승이요? 전혀요. 요새 밤에 깊게 잠들어서 설령 들어왔다고 해도 전 못 들었을걸요."

"어머, 그래? 그래도 요새는 잠을 좀 깊게 잔다니 다행이구나. 자 이제 어서 가렴. 삼 일 만의 외출인데 이 어미가 방해했구나. 유화도 기다리고 있겠어."

"네, 어머니 그럼 다녀오겠습니다."

산짐승이라는 말에 몸을 흠칫 떤 화련이었지만 능숙하게 뱉은 거짓말에 그녀의 어머니 또한 안심한 듯 외출하는 딸을 마저 배웅했다. 요즘 들어 부모님께 거짓말이 는 화련은 애써 죄송스러운 마음을 숨긴 채 다시 걸음 옮겨 그 정자로 향했다.

"애기씨, 오랜만에 외출이지요? 오늘도 유화 아가씨 댁으로 가시나요?"

"우응, 오랜만에 외출이지."

사실 그녀는 어젯밤도, 그제 밤도 집을 나와 밤새 정자에서 유화와 율, 청호와 함께 있었다. 그것도 집 안 사람들 아무도 모르게 나와서 말이다. 그녀 혼자였다면 어려웠겠지만 화련과 유화에게는 믿는 구석이 있었다.

"정말이죠. 율, 정말 안 들키는 거 맞죠?"

"아이, 이 아가씨들이 정말 속고만 살았나! 내가 괜히 구미호겠어?"

달이 밝게 뜬 밤, 슬슬 사람들이 방으로 들어가 잠을 청할 시간 정가의 금지옥엽 막내딸 방안에는 사내 하나가 들어와 있었다. 귀한 집 여식 방에 외간 남자가 들어왔다는 사실이 알려진다면 고을 전체가 발칵 뒤집힐 일이었으나 이율은 자신만만한 태도로 미소짓고 있었다.

"그리고 분명 나가고 싶다고 한 건 화련 너였잖아? 그러니까 나를 한 번 믿어봐."

윤기가 도는 아홉 개의 꼬리를 살랑살랑 흔들며 미소짓는 모습은 누구나 홀릴 수 있을 만큼 유혹스러웠다. 물론 화련에게는 통하지 않았다. 훌륭히 아름답고 사랑스러운 모습이었지만 화련은 이상하게도 장난꾸러기 어린아이를 보는 것만 같았다. 하지만 결국 화련은 이율이 내밀고 있는 손에 자신의 손을 조심히 얹었다.

"자 이젠 우리 공범인 거야. 확실히 해두자고 납치가 아니라."

"네, 제가 부탁했죠."

곧이어 이율은 화련을 가볍게 안아 든 후 놀랍도록 빠르게 저택을 빠져나왔다. 어떻게 알았던 건지 사람이 없는 길로만, 몸을 날린 이율에게 안겨 있던 화련은 그지 것 경험해보지 못한 속도를 느끼며 양 볼을 붉게 물들이며 소리 지르고 싶은 마음을 애써 억눌렀다. 그 마음을 알아본 이율은 화련을 안고 도약하더니 이내 밤하늘을 날기 시작했다.

"와!"

"자, 하늘을 날아본 경험이 어때? 꽤 신나지?"

"와, 정말 황홀한 경험이에요! 정말 신나요! 율"

결국에는 환호성을 내지를 화련과 그런 화련을 뿌듯하게 내려 다보고 있는 이율은 조금 더 묘기를 부려준 후 중턱에 있는 정자로 향했다.

"자, 혹시 불편한 곳 없지? 누구를 안고 난 것이 워낙 오랜만이라서 다친 곳 있으면 말해줘."

"네? 믿으라면서요!"

"내가 말한 건 들키지 않을 거라는 뜻이었지. 안 다칠 거란 뜻은 아니었지."

그 뻔뻔한 말에 어이가 없어진 화련은 정자에 앉아 꼬리를 빗질하고 있는 이율을 흘깃 노려보았지만, 말만 저렇게 할 뿐 비행 내

내 자신을 신경 써준 점도, 정자에 내려줄 때도 굉장히 조심히 다루어 줬던 점을 안 화련이었기에 한숨 한번 내쉰 후 그의 옆에 앉았다. 생각보다 부끄러움 많은 구미호는 이런 식으로 마음에도 없는 말을 내뱉곤 했다.

“그 빗 마음에 드시나 봐요.”

“어, 역시 양반집 아가씨네 빗은 엄청 좋네. 역시 돈 값 하나봐.“

자신이 선물해줬던 빗으로 꼬리를 열심히 빗는 모습이 퍽 귀엽기도 해 뭐라 하고 싶은 마음이 사라졌다. 참 자신이 상상했던 구미호와는 다르다고 생각한 화련이었다.

“그런데 유화는 왜 아직 안 오죠? 분명 요 앞이라 저희보다 빨리 왔어야하는데.”

“저기 오네.”

나머지 둘을 찾기 무섭게 하늘에서 유려하게 낙하한 청호와 그의 어깨에 앉은 채 밝게 웃고 있는 유화가 보였다. 잔뜩 신이 난 유화는 뭐가 그리 할 말이 많은지 잔뜩 흥분한 채 조잘조잘 말을 하기 시작했다. 청호는 자신의 어깨에 걸터앉은 채로 조잘거리는 유화가 위험하지 않게 조심히 내려주었다. 그 와중에도 흥분한 유화는 첫 비행에 꺄르륵 하는 웃음만을 터트릴 뿐이었다.

“어서 와, 왜 이리 늦었어?”

“유화가 하늘을 나는 것이 처음이라 하여 조금 바람좀 쐬어주고 왔네.”

“정말 황홀한 경험이었어요! 얘 화련아 너도 날아봤니?”

"그래, 나도 내 평생 이런 일이 있을 줄이야. 아직도 붕 떠 있는 느낌인 거 있지?"

부모님 몰래 외출은 화련과 유화에게는 지금까지 저지를 일탈 중에 가장 큰 일탈이었다. 그렇기에 조금 전까지만 하더라도 깊은 죄책감과 걱정이 몰려 왔지만, 평생 살면서 겪을 수 있을까 싶은 비현실적인 현상을 직접 몸으로 겪자 죄책감과 걱정 따위는 금세 사라졌다. 오히려 평생을 옳은 길만, 가문이 원하는 훌륭한 여식으로만 살아오던 두 여인이기에 미약하지만 일종의 성취감마저 느껴졌다.

"애기씨?"

"어, 홍이야."

"오랜만에 외출이 그리 좋으세요? 아까부터 얼굴에 웃음꽃이 피셨네요."

"하하, 뭐 그렇지. 역시 매일 놀다 하루 안 노니 지루해 죽겠구나."

"그러게요. 요즘 얼굴이 밝아지셔서 이 홍이도 기분이 좋습니다."

화련은 첫 일탈을 감행한 그제 밤을 떠올렸다. 처음만 어려웠고 두 번째는 쉬웠다. 그녀는 어젯밤에도 몰래 하는 외출을 감행한 후 그들만의 공간인 정자에서 새벽이 오기 전까지 수다를 떨었다. 평소보다 반으로 준 수면시간에 몸이 조금 피곤했지만, 그 정도는 아직 어린 화련과 유화에게는 그다지 방해물이 아니었다.

"어제도 어르신만 아니셨어도 외출하실 수 있을 셨을 텐데."

"마을을 오랫동안 지켜오신 분이란다. 나의 아버님과 유화 아버님의 스승이시기도 하지. 그러니 예를 갖추는 것은 당연한 일이란다."

".. 제 말은 그 뜻이 아니었어요."

"안다. 내 네가 날 생각하는 마음을 어찌 모르겠니?"

어제와 그제는 마을에서 가장 오랫동안 살다 이제는 마을 뒤 깊은 산에서 자연과 물아일체의 삶을 살고 있는 노인이 아주 오랜만에 속세로 내려온 날이었다. 인망 깊고 덕 높고 지혜로웠던 그는 나라의 내로라하는 가문의 가주들의 스승이었고 이 고을의 스승이었다 한다.

확실히 어르신은 가족을 제외하고 화련을 여인이 아닌 사람으로 대해준 몇 안 되는 사람 중 하나였다. 온 머리를 흰머리와 허름한 옷과 달리 깔끔히 정돈된 수염과 꼿꼿이 핀 허리와 아직 밝게 빛나는 눈동자 그리고 항상 짓고 있는 온아한 미소까지 특이하다면 특이한 모양새였지만 아주 짧은 시간만으로도 그가 왜 이 고을에서 가장 존경받는 사람이라 불리는지 알 수 있을 것이다. 실제로 화련과 유화에게 그 비밀 장소를 알려주고 지금보다 훨씬 어릴 때는 자주 놀아주셨다곤 하지만 정작 화련과 유화는 기억이 없었다.

"나는 좋았단다. 워낙 산에서만 지내시느라 잘 뵙지도 못했는데 얼마나 반가웠는데. 아버님도 그분 앞에서는 어린 학생의 모습으로 돌아가신 것 같기도 하고 말이야."

호탕하게 웃는 어르신 앞에서 그 날고기던 아버지가 학생이 된 마냥 조신이 앉아있는 모습이 떠오른 화련은 쿠국하고 웃어버렸다. 평소 예법에 맞게 행동하느라 좀처럼 감정을 내비치지 않은 그녀의 아버지나 양가 가주, 즉 유화의 부친은 그 어르신의 앞에서는 여전히 소년의 면모를 보이곤 하였다.

"그리고 어제도 유화의 얼굴을 봤다면 봤지."

"예, 오랜만입니다. 두 가문끼리 이리 한집에 모여 식사하신 것도요"

화련은 중의적인 미소 지었다. 근 이틀 모두 윤과 청호의 도움으로 외출을 즐겼고 덕분에 화련과 유화는 거의 매일 같이 만날 수 있었다. 하지만 당연히 이 사실을 모르는 홍이는 여전히 안타까운 듯 표정을 짓고 있었다. 물론 이해는 갔다. 화련은 자신의 대부분을 시간을 집안 내부에서 꽃처럼 살아왔고 그 시간을 함께 지낸 홍이는 자연스럽게 화련의 자유로운 외출을 응원할 수밖에 없었다.

"자 도착했네요. 애기씨. 그럼 오랜만에 즐기고 오셔요."

홍이는 평소처럼 입구 앞에서 그녀를 배웅했다. 화련도 자연스럽게 미소 지으며 입구 안으로 발을 내디뎠다. 그와 동시에 화련의 얼굴에 걸려있던 화사한 미소가 순식간의 모습을 감춰버렸다.

"이게, 뭐야?"

처음 보는 광경이었다. 보랏빛 하늘 처음 보는 색감의 나뭇잎들 한낮임에도 떠 있는 정상적인 크기를 벗어난 달까지 그 모든 것을 두 눈에 담은 화련이 느낀 감정은 경외감이었다.

"하,하"

온몸으로 느껴지는 전혀 다른 세상의 공기, 온몸을 휘감는 소름 끼치는 그 기운 조금 전까지 자신의 세상과 오직 단 한걸음으로 자신이 살던 세상이 아니라는 그 사실이 화련을 중압감에 짓눌려 움직일 수조차 없게 만들었다. 화련이 느낀 감정은 무엇인가, 확답할 수 없다. 공포, 황홀함, 흥미로움, 두려움, 어색함, 흥분감 수많은 감정이 섞이고 섞여 그녀의 몸을 수차례 훑어갔다.

"화련, 화련!"

"율, 청호"

얼마나 시간이 흘렀는지조차 인식하지 못하고 여전히 한 발자국조차 움직이지 못하고 있을 때 익숙한 목소리에 겨우 고개만 돌려 자신을 걱정스럽게 바라보고 있는 두 인외의 산내들을 바라보았다.

"화련아, 괜찮니? 숨 쉬어라, 얼마나 여기 있던 거니!"

그 뒤에는 자신과 비슷한 낯을 하고 있는 유화가 청호의 부축을 받아 자신에게 다가왔다. 익숙한 이들의 등장 덕분이었을까 화련은 그제야 발을 뗄 수 있었다. 거의 넘어지듯 앞으로 걸어가자 재빠르게 부축한 율이 그녀를 가볍게 안아 들었다. 요 며칠 안고 다녔다고 익숙해진 자세에 화련은 숨을 골랐다.

"아, 정말 당신들을 만나고 평범치 않은 날들의 연속이네요."

"미안, 이렇게 갑자기 문이 열릴 거라 우리도 예상 못 했어."

"얘, 너 괜찮니? 많이 놀랐지."

"나는 괜찮단다. 걱정 마라,"

어느새 청호의 어깨에 앉은 채 자신을 향해 걱정스럽게 말을 걸어오는 유화에게 희미한 미소를 지어준 화련은 이내 고개를 돌려 자신들의 의문을 해결해줄 사내에게로 시선을 돌렸다.

"..."

"잠시만 기다려. 알려 줄 테니까. 일단 정자로 가자고"

그 부담스러운 시선에 율은 그 시선을 애써 무시하며 천천히 정자로 향하기 시작했다. 평소와 달리 굉장히 느린 속도로 움직이는 율과 청호 덕분에 화련과 유화는 다행히도 금세 안정을 되찾았다. 익숙함에서 오는 그 괴리감은 화라과 유화가 그동안 겪어 던 그 어떤 두려움보다도 공포스러웠다. 자신이 알던, 익숙하던 것에서 오는 그 안정감이 느껴지는 공간이었건만 한순간에 이방인이 되어버린 화련과 유화는 잔뜩 미안한 얼굴을 하고있는 사내들을 곁에서 중압감에 익숙해지려 노력했다. 노력의 결과가 항상 좋은 것은 아니었다는 점은 절망적이었지만 말이다.

"후, 그, 그래서 정말 말 안 하실 건가요?"

"나도 힘들어 기대지 마."

정자에 앉아 한참 숨을 고르던 화련은 상대적으로 멀쩡해 보이는 유화의 어깨에 기대며 말했다. 자신들을 꼼꼼히 살피고 있던 율과 청호는 잠시 침묵했다. 서로의 눈치를 보다 결국 입을 연 것은 여러 꼬리를 축 늘어트린 이율이었다.

"문이 열렸어."

"문이요?"

"세계와 세계를 잇는 문, 그리고 그 문은 이 산과 우리가 넘어온 곳을 연결하는 과정에서 동화가 일어난 것 같아."

잠시 주위를 둘러보던 청호는 이내 하늘에 떠있는 비이상적으로 크고 푸른 달을 가리켰다.

"저 달이 일종의 문입니다. 푸른 달이 세계와 세계를 연결 시켜 그 문을 열게 만들어 주지요."

"원래 문이 연결될 때마다 이런가요?"

"아니."

이율은 그 말을 끝으로 다시 침묵했다. 이내 뒤에서 목석같이 서 있는 청호를 잠시 흘겨보다 다시금 결심했다는 듯 입을 열었다.

"원래는 우리만 이동하면 돼. 우린 그 세계에 조각을 품고 태어난 일종에 토착민이니까."

"그런데요?"

"...이 상황은 세계가 아가씨들에게 보내는 일종의 초대장이야."

화련과 유화는 순간 그 말을 듣고 이해하지 못해 계속해서 고개를 갸웃거렸다. 이율 역시 처음부터 이해하지 못할 것을 알고 있었다는 듯 정자 옆에 앉아 부가설명을 시작했다.

"저번에 기억나? 중앙 세계, 중심이라고 불리던 우리가 있었던 곳."

"아, 물론이죠."

"그건 다행이네. 거기서부터 시작하자. 그 세계의 정식 명칭은 (Lampas)람파스, 등불이라는 뜻이지."

"등불이요?"

"나무에 가지가 뻗어 나가는 듯 복잡한 세계들 속 유일하게 창조주가 직접 만든 일종의 중심지지. 그 등불이 너희를 마음에 들어한 것 같아. 좋은 일인지는 모르겠지만."

등불 - 람파스, 신으로부터 파생된 유일한 세계 그래서인지 등불은 종종 유기체처럼 어떠한 선택을 내리기도 한다. 마음에 드는 타 세계의 이들을 자신의 세계로 초대하는 행동이 그 중 하나였다.

"그러니까, 저희가 당신들이 있던 그 등불이라는 곳으로 갈 수 있다는 것인가요?"

자신이 말하면서도 고개를 갸웃거리는 화련이었다. 이것은 이해의 문제였다.

"이해하려는 생각은 안 하는 게 좋아. 절대 못 할 거니까."

멋쩍은 듯 웃는 율이 고개를 저으며 말했다.

"둘을 무시하는 것도 아니야. 이건 아침을 모르는 사람에게 아침을 가르치는 것과 같은 격이야. 이해는 인지로부터 시작하니까"

그의 말에 두 여인은 여전히 모르겠다는 얼굴이었다. 그 상황을 지켜보던 청호는 아주 간단하게 말했다.

"당신들만의 세계를 확장 시킬 기회인 것만은 확신합니다. 그것이 독이 될지 득이 될지는 모른다는 것이 문제지만요."

"선택은 자신에게 맡길 뿐이라는 건가요?"

"정확합니다."

"다시 돌아올 순 있는 건가요?"

"물론입니다."

유화는 담담히 변해버린 풍경을 바라보며 두 눈에 담았다. 알고 있다. 이건 미친 짓이다. 아니 이미 미친 짓을 근래에 너무나도 많이 저질렀다. 하지만.

"가고 싶어요."

문득 생각을 정리하다 들려오는 대답에 유화는 고개를 들어 흰 피부가 더욱 창백해진 자신의 친우를 바라보았다. 화련의 눈동자에는 그 와는 반대되는 열기가 이글거렸다.

"나도, 당신들의 세계가 보고 싶어요."

고민은 의미 없는 짓이다. 사실 그날, 처음으로 이 존재들을 만난 그 순간부터 이런 일이 일어나길 내심 기대하고 있던 유화는 손을 덜덜 떨면서도 차분히 말하는 화련을 툭 밀쳐냈다. 유화의 어깨에 고개를 기대고 있던 화련은 그 종잇장 나라가 듯 유화로부터 나가 떨어졌다.

"넌 뭐 그런 걸 너 혼자 정하니?"

퉁명스럽게 답한 유화는 그녀를 흘겨보았다. 그럼 에도 속없는 듯 웃는 화련이었다. 사실 고민 따위 필요하지 않았다. 이건 본능이었다. 그저 그 본능을 꺼내게 해줄 방아쇠가 필요했을 뿐. 화련은 유화의 방아쇠 역할을 충분히 잘 수행했다.

"표독스럽긴."

화련은 이런 면에서 대담한 면이 있었다. 원체 낙관적인 성향이 짙기도 하고 일종의 신뢰이기도 하였다. 유화, 그녀라면 자신과 함께해줄 거라는 확신으로부터 오는 신뢰. 그러니 화련은 자신의 인생을 바꿔 버릴 수도 있는 갈래 길에서 미래와 안전이 보장되지 않은 길을 선택했다. 설령 그 끝에 목적지를 잃게 된다는 것을 감안하더라도 자신의 세계를 확장 시키는 것을 선택한 것이다.

".. 어렵지 않을 거야. 안전할 거야. 맹세해"

두 여인의 고민은 거기서 끝이었다. 화련과 유화는 아직도 무거운 몸을 애써 일으켜 감정을 읽을 수 없는 두 인외의 사내에게 다가갔다. 이율은 다짐하듯 그녀들에게 말했다.

"설령 무슨 일이 생기더라도 우리의 선택이었음을 잊지 말아요."

그 다정한 맹세에 화련은 다정함으로 화답했다.

“선택의 대가라면 받아드리려야지요”

그들의 대화는 거기서 끝이었다. 이율과 청호는 각각의 화련과 유화를 보호하듯 그녀들 뒤에 섰다. 그와 동시에 푸른 달로부터 차마 눈을 뜨고 볼 수 없는 빛이 쏟아져 나왔다. 포근하고 그 찬란한 빛이 세계로부터 첫 발걸음 딛는 두 여인을 거칠게 휩싸았다. 나름에 환영 인사였는지도 모른다. 모든 것을 비추는 등불의 환영 인사말이다.

“지금이야 하는 말이지만, 그 순간은 정말 아찔했어요. 내가 내 몸을 통제할 수 없어. 그 어딘가로 떠내려 내릴 것 같았거든요.”

“이주민의 이동 스토리는 처음이라서 몰랐어요? 무섭나요?”

“글쎄요. 아마 무서웠던 건 아니었던 것 같아요. 정신을 잃을 것 같을 때쯤 율이 단단하게 받쳐주기도 했고요.”

기억을 더듬으며 그때의 감정을 다시 느끼는 화련은 피식피식 웃으며 걸음을 옮겼다. 그녀의 이야기를 경청하던 루치페르는 미묘한 표정을 짓다 이내 질문했다.

“그런데 왜 이곳에 남기로 했습니까?”

루치페르는 이해할 수 없었다. 어째서 전혀 다른, 그동안의 자신의 세계를 부정하는 이 세계에 남기로 했는지.

“..글쎄요.”

루치페르의 질문에 화련은 잠시 침묵을 유지하다 한참을 고민하다 피식 웃으며 답했다.

"원래 사랑이라는 게 그런 것 아니겠어요? 한순간에 나타나 인생을 송두리째 바꿔 버리지요."

화련의 눈동자가 좀전과 다르게 차분하게 가라앉았다. 사랑을 논하는 여인의 눈이라 하기엔 지나치게 차분했다.

"저 제가 살던 곳에서 꽤 높은 집안 외동딸이었어요. 사회 분위기가 여인의 일종의 소유물로 여겨지곤 했으나. 저나 유화는 집안 덕분에 그런 일도 거의 안 당했죠."

"사랑이군요."

"네, 맞아요. 부모님의 사랑이, 저희를 보호해줬지요. 물론 집안의 역할도 컸지만."

역설적이게도 화련과 유화는 그 집안 덕분에 무시로부터 보호받았으나 그 집안이라는 것 때문에 자유를 박탈당했다. 지체 높은 집안에 태어나 그 권리를 누렸기에 그들의 행동에는 온전히 자신 뜻이 담길 수 없었기에.

"참, 복잡하네요."

"그런가요."

루치페르는 그 어떤 감정도 띄우지 않은 화련의 눈동자를 보며 말했다. 다만, 그녀가 이곳으로 넘어오기를 결정했을 때 어떤 마음이었을지 조금은 알 것도 같았다.

"그래서요. 그래서. 분홍빛 하늘, 요정들과 다양한 존재들이 살아가는 삶의 사랑스러운 빛을 내는 이 세계에 속하고 싶었어요."

문득 화련의 눈에서 감정을 읽어내던 루치페르는 계속 무딘 색감으로 이루어져 있던 화련의 눈동자에서 미묘한 다른 색을 읽어냈다.

"그래요. 짝사랑을 자처했어요."

필멸자로 태어나 감히 다른 세계를 탐한 화련이었기에 처음 이 세계를 두 눈에 담았을 때 화련은 확신했다. 자신은 돌아가 절대 정가 화련으로 살 수 없으리라라고. 가문의 뜻을 따르는 정가의 금지옥엽 아가씨로는 절대 돌아갈 수 없으리라라고. 이것은 감히 자신의 세계를 부정하고 운명을 거스른 화련에게 내려진 벌인지 축복인지 모를 일이었다.

"나를 선택한 세계는 그다지 달콤하지 않았지만, 상관없었어요. 필멸자 출신의 이방인인 저는 그다지 할 일이 없었어요. 그저 하루하루 사랑으로 살아갔죠"

"철학적이네요."

"그런 거창한 건 아닌데, 쑥스럽네요."

루치페르는 알 수 없었다. 태어나길 이곳의 토착민으로 태어났기에 그는 세계를 의심하지 않았다, 그렇기에 그의 세계는 성장하지 않는다. 의심하지 않으니 변화하지도 않는다. 그에게 자신을 이루는 세계란 그저 존재하기에 존재하는 것이다. 그러니 그는 그녀를 존경했다. 등불의 선택을 받고 이주민이 되는 것은 드문 일이다. 그들은 세계를 이해하고, 부정하고, 변화시켜 운명이라는 거대한 굴레에 오직 자신의 의지로만 벗어난 이들이었기에.

"난 원래 인생과 운명에 순응했어요. 우연히 놀러 간 산 정자에 쓰러져있던 그들이 아니었다면 나는 여전히 그리 살았겠죠."

다마 화련과 유화는 그렇게 생각하지 않았다. 화련과 유화는 단

한 번도 이 세계를 의심하거나 이해하거나 부정하지 않던 평범한 인간들이었다. 그런 그들의 탈바꿈의 시작은 어떤 존재들과 만남이었기에 그녀들의 의심은 자연스러웠고, 의심하니 이해되었고 이해하지 못한 것은 부정했다.

"내가 속해있는 세상이 전부가 아님을 안 연약한 존재는 대부분 포기합니다. 선택에 갈림길에서 돌아오거나 아는 길로 선택하는 이들이 태반입니다. 이 세계의 조각을 품고 태어난 이들조차 그 과정을 이루지 못해 추방당하는 일이 일어납니다. 당신과 당신의 친우가 한 일은 절대 아무나 하지 못하는 일이에요. 설령 운이더라도 그 선택의 주체는 화련 당신이었으니까요."

"하하, 복잡하네요."

진정 어린 목소리가 담담하게 흩어져 화련의 가슴을 채웠다. 귀로 듣고 가슴에 새긴 그 말들의 온도에 화련은 미묘 복잡한 미소를 지었다.

"단순하면 재미없잖아요. 너무 따분하기도 하고요."

"뭐, 맞는 말이죠."

그 말을 끝으로 대화는 끝이었다. 화련의 집 앞에 도착한 것이었다. 시간을 확인하니 자그마치 한 시간이나 지나 있는 8시였다. 발이 빠른 화련이었지만 루치페르와의 동행에 거기다 이야기를 하느라 유난이 늦게 집에 도착한 것이다.

"오늘 즐거웠어요. 화련. 당신의 이야기를 들을 수 있어서 영광이었어요. 그럼 들어가세요. 내일 뵈어요. 화련"

"네, 조심히 들어가세요. 루치페르. 오늘 이야기 들어줘서 고마워요."

화련과 루치페르는 담백한 인사를 건네며 발걸음을 옮겼다. 집에 들어온 화련은 갑자기 밀려오는 피로감에 침대에 바로 눕고 싶은 것을 간신히 참으며 화장실로 직행했다. 늦장 부리면 씻지도 않고 잘 자신을 잘 알기에 의무적으로 씻고 옷도 잠옷으로 갈아입은 화련은 집에 들어오고 나서도 약 30분 뒤에 나 침대에 누울 수 있었다.

"밥, 굳이 먹어야 하나?"

유화나 파엘로스가 들었다면 눈을 부라리며 입에 음식을 넣었겠지만, 안타깝게도 그녀의 집엔 아무도 없었다. 침대에 누워있으니 꼼짝도 움직이기 싫었던 그녀는 결국 저녁 식사도 포기하고 휴식을 선택했다.

"아, 씻고 오길 잘했다."

그녀의 피로감이 결국 식욕을 이겨낸 것이다. 화련은 침대에 누워 핸드폰을 만지작거리다 문득 어떤 이들이 떠올랐다.

"그러고 보니, 율이랑 청호를 언제 봤는지 기억도 안 나네."

루치페르와의 대화로 기억 저편에 있던 옛이야기를 꺼내면서 언제 연락을 주고받았는지조차 희미해진 율과 청호가 떠오른 것이었다.

"…"

잠시 고민하던 화련은 이내 메시지를 열었다.

[나 언젠가 이 세계를 부숴 버릴 거야. 적어도 출입국 소장만큼은 반드시 소멸시키고 말 거야.]

언제 보낸 건지 모를 분노가 가득 담긴 율의 우는 소리가 가득한 대화창을 보며 화련은 천천히 그 대화 내용을 읽어 내렸다.

[제기랄, 이래서 진급하는 게 싫었다고. 난 그냥 말단으로 지내게 해 줘]

대화 대부분은 출입국에 속한 그가 일하면서 겪는 힘든 일에 대한 투정으로 시작했다. 문자에서도 그의 목소리가 자동으로 재생된 듯함에 화련은 진절머리난다는 듯 고개를 흔들었다.

[잘하고 있으리라 믿어 의심치 않아. 연락 안 돼도 걱정하지 말고.]

다만 그 모든 대화의 끝에는 그가 그녀에게 보내는 응원과 걱정들이 가득했기에 화련은 아주 오랜만에 연락임에도 잠시의 뜸만을 드리고 문자를 입력하기 시작했다.

[오랜만이에요. 율. 요즘은 출입국 소장님 욕도 잘 안 하시네요. 잘 지내고 계신 가요? 오늘 아주 큰 달이 떴는데. 그 옛날 우리가 처음 만났던 그 날의 달을 닮았더군요. 하여 오랜 친우의 소식이 없어 걱정스러운 마음에 연락을 드려요.]

화련은 문득 문자에 적힌 자신의 말투가 좀 옛날로 돌아간 듯싶었지만, 굳이 다시 고치지 않고 전송 버튼을 눌렀다. 직업 특성상 밤에도 일하고 있을 확률이 높은 율이었기에 화련은 답장이 오는지 확인하지 않고 핸드폰을 껐다.

“이제 그럼 진짜 자야지. 피곤해 죽겠네.”

방 벽에 걸려있는 시계를 확인한 화련은 편안한 미소를 지으며 눈을 감았다. 9시 23분, 파엘루스나 유화가 봤다면 분명 신생아보다 많이 잔다며 타박했겠지만, 이곳에는 화련 혼자였다. 화련에게 잠이란 그녀가 가진 가장 큰 욕망이었다.

월요일 이른 밤부터 잠에 든 화련은 아주 오랜만에 고향 꿈을 꾸게 되었다. 아직 어리고 어린, 앳되고 앳된 생기와 장난기 가득한 눈으로 가족들과 함께 이야기를 나누는 아주 평범했던 어느 날의 모습이었다. 화련은 그 사랑스러운 어린 자신의 모습을 한 걸음 멀리 떨어져 지켜보았다.

"이거 기억하려무나 화련아. 우린 언제나 널 사랑한단다."

다정한 부모님의 속삭임에 화련은 그 고운 눈을 사르륵 접으며 수줍게 웃었다. 다만 그 장면이 너무나도 이질적이었기에 오랜만에 본 부모님의 모습에도 화련은 설핏 다가갈 수 없었다.

"너의 행복을 누구보다 바라고 있으니. 아가 행복해지려무나."

화련은 꿈속 자신을 소중히 바라보는 어머니를 보며 쓰게 웃었다.

'아무리 정신이 없거니와, 내가 드디어 미쳤구나'

화련은 자신의 느낀 괴리감이 어디에서부터 오는 것인지 찾았다. 워낙 다른 분위기와 표정이었기에 화련은 잠시 헷갈렸지만 분명했다. 저 말은, 화련이라는 존재의 시작이자 정가 화련이라는 존재의 끝을 맺는 순간에 들었던 말이다.

"선택을 존중하고 응원하마"

"선택을 존중하고 응원하마"

꿈속 아버지와 화련의 입에서 같은 말이 나왔다. 화련이 자신이 누리던 모든 혜택을 포기하고 생판 모르는 다른 세계로 넘어가겠다고 했을 때 그의 부모는 슬퍼할지언정 막지 않았다. 그저 순탄치 않을 인생을 개척해 나갈 자신의 사랑하는 딸을 위해 한 번이라도 더 그 몸을 안아주었다.

그리고 자신의 품에 안겨 있는 어린 여식에게 부모는 사랑담긴 응원으로 속삭였다. 그저 행복하라고, 행복해지라고. 그거면 다 괜찮다고.

“어머니, 아버지”

화련의 부름에도 여전히 그들의 시선은 그녀를 향하지 않았다. 화련은 아주 오랜만에 자신의 꿈에서 뵌 부모님을 향해 잠시 머뭇거리고 입을 열기를 반복했다.

“행복한가는 아직 모르겠습니다. 다만.”

화련은 여전히 고민하는 얼굴이었지만 이내 다짐한 듯 입을 열었다.

“후회하진 않습니다. 두 분의 응원과 사랑 덕에 저는 그 날의 선택을 후회하지도 미련이 남지도 않습니다. 어머니 아버지가 보고 싶다는 것을 제외하면요.”

눈을 감고 입꼬리를 자연스럽게 끌어 올린 화련은 이내 계속해서 이어가던 대화 소리가 멈췄다는 것을 느꼈다.

“그거면 됐다. 훌륭하구나. 아가”

화련은 그 목소리에 눈을 떴다. 혹시나 하는 생각에 온몸에 오한이 들 듯 눈가자 잘게 떨렸다. 그곳에는 단아하고 온아하게 웃고 있는 부모님이 자신을 보며 미소지었다. 그러자 문득 자신이 기억하고 있는 부모님의 모습보다 조금 더 늙은 모습인 것을 인지했다.

얼굴에 주름이 몇 개 더 늘었고, 흰머리가 희긋하게 나기 시작했으나 여전히 두 사람의 자세는 곧았고 기세는 청량하기 그지없었기에 화려은 아주 그 변화를 늦게 알아차리고 말았다.

"우리는 네가 아주 자랑스럽구나. 아가. 사랑스러운 내 새끼. 아주 대견하다."

그 말을 끝으로 두 사람의 몸이 희미하게 변해갔다. 화련은 그 모습에 애써 눈물을 삼키고 미소를 지어보았다. 그녀는 오랜만에 본 부모님 앞에서 울고 싶지도 걱정을 끼치고 싶지도 않았다. 그녀는 희미해진 두 사람에게 다가가 그 품에 안겼다. 여전히 사랑이 느껴지는 품속에 화련은 결국 작은 눈물을 흘리고 말았다.

"늙어도 이리 고우시니 이 소녀 참 기쁩니다. 두 분의 사랑과 응원 덕분에 나는 오늘도 살아갑니다. 감사하고 감사합니다."

그 말을 끝으로 자신의 등을 두드리던 손이 느껴지지 않았다. 완전히 사라진 그 꿈속 공간에는 아직 어린 옛날의 자신만이 화련을 바라보고 있었다.

어린 화련은 가장 맑은 미소를 지으며 소리 없이 흐르는 눈물을 을 닦지도 못하고 있는 화련에게 다가가 그 작은 몸으로 그녀를 안아주었다.

"어르신"

세계의 어딘가, 은하수를 이불 삼아 편안하게 누워있던 한 존재에게 붉은 달이 말을 걸어왔다.

"또 어디 계셨어요!"

"나는 어디에나 존재하고 어느 때에나 존재하지 않는단다."

"어르신!!"

그 존재는 나른하게 웃으며 말했다.

"그런 말이 아니잖아요!"

"제자의 딸아이가 힘들어 보이길래. 아주 오랜만에 자기 이야기를 꺼낸 그 아이가 너무 대견스러워서 말이지."

어르신이라 불린 존재는 은하수 너머 공간에서 무언가를 바라보듯 웃었다. 흐뭇하게 웃는 그 모습을 보며 허공에 떠다니던 붉은 달은 대화를 포기하고 자신의 위치로 돌아갔다. 자신의 상관이자 이 세계의 유일한 절대자, 신의 행동을 감히 예측하는 것을 고치고자 했으나 마음처럼 쉽지 않았다.

"신은 전지하지도 전능하지도 않는 단다. 나는 그저 세계의 가장 오래된 파편일 뿐이지. 그리고 너희 또한 마찬가지란다."

이 세계의 유일한 절대자는 알 수 없는 중얼거림을 마치곤 다시 눈을 감아버렸다. 세계의 흐름을 따라 그 끝과 끝을 오가며 모든 것을 지켜보던 절대자는 알고 있다. 이 세상에 운명 따윈 존재하지 않는다는 것을, 단지 복잡한 시간이 존재할 뿐. 아주 작은 변화에 세계의 흐름은 순식간에 바뀐다는 것을.

신은 자신의 의지가 담긴 유일한 세계, 그곳에서 베게를 눈물로 적시며 여전히 꿈속에 있는 한 여인을 바라보았다. 신은 문득 저 여인을 닮은 자신의 제자가 떠올랐다.

“아버지, 어머니”

화련의 방안 고요하고 어두운 그 공간에 그녀의 부름이 울렸다. 그녀의 눈물은 멈추지 않았지만, 그녀는 아주 담담히 웃고 있었다. 화련은 짧다면 짧고 길다면 긴 그 밤을 보내고 있었다. 사랑스러운 그 세계의 밤이 그녀와 함께였다.

2권에서 계속....

# 작가의 말

내 이름을 단 책이 나온다니 아직도 거짓말인 것 같습니다. 원했던 것보다 분량도 적고, 적고 싶은 이야기가 수두룩하지만 난 내 부족함을 인정하기로 했습니다. 사실 마감의 마감의 마감까지 완결의 반도 오지 않은 글을 보면 그동안 게으름을 부리던 과거에 나에게 원망의 말을 쏟아내곤 했으며, 작가의 말을 적고 있는 지금도 별반 다르지 않습니다. 난 내 과거도 현재도 미래도 사랑하지만 지금은 조금 미워하려 합니다.

많은 후회와 안타까움이 몰려오지만 그중 가장 안타까운 것은 이 뒷이야기가 세상에 나오기 전까지 내 머릿속에서만 살아간다는 사실이 마음을 아프게 만듭니다만 그 안타까운 현실의 원인이 자칭 작가인 나이기에 화련과 유화 그리고 그 외의 주인공들에게 사과의 말을 전하고 용서를 빌도록 해야겠습니다.

책의 주인공인 화련이는 작가인 저와 닮아있으며 제가 닮고 싶은 모습을 가지고 있기도 합니다. 처음에는 그녀의 행동 하나 하나 써가며 처음으로 내가 만들어낸 주인공에게 애정을 가졌습니다. 저의 손가락에서 펼쳐지는 그 이야기에 저는 기쁜 마음으로 타자를 두드리곤 했습니다. 하지만, 언제가 타자를 치는 손가락이 신나지 않더랍니다. 어떻게 이야기를 펼쳐야 하는지 고민돼 머뭇거리다 결국 창을 닫아 버리곤 하였죠.

겪어보지 못한 세상을 손가락으로 창조해 나간다는 것은 정말 황홀한 일인 것은 분명합니다. 문제는 제 역량의 문제였죠. 글을 쓰다 보니 계획했던 것과 달리 계속 변하고 확장되고 세계관도 더욱 방대해 졌습니다. 마치 내 글의 주인공인 화련이 실제로 존재하는 것처럼 이야기를 주도해 나갔습니다. 작가인 나는 그녀의 이야기를 철자로 옮기는 것만을 할 수 있었습니다.

내가 창조한 그 인물이 이야기를 이끌어 가는 그 황홀한 그 감정은 정말 인간이 살면서 한 번 겪어 봤으면 하는 경험일 것입니다. 다만 이야기 집필 과정이 순탄하고 즐겁지만은 않았습니다.

뭣 모르고 들어온 동아리에서 시작한 책 집필, 처음에는 즐거웠고 조금 뒤는 막막했으며 그 다음에는 다시 즐거웠습니다. 감정과 감상이 시대 때도 없이 변해갔으면, 방바닥에는 쥐어뜯은 머리카락이 늘어갔습니다. 사실 조금 괴로웠던 것 같기도 합니다.

특히 제목을 정하는 것이 상상 이상으로 어려웠습니다. 다양한 후보들이 지나갔으나 역시 처음에 정해놨던 제목으로 결정했습니다. 작가의 말을 쓰는 지금까지도 고민이 머릿속을 가득 채우고 습니다. 어쩜 다른 작가분들께서는 책에 잘 어울리는 제목을 지으시는 건지 정말 존경스럽기 그지없습니다.

1년이라는 시간이 짧다면 짧고 길다면 길었습니다. 그 1년 동안 즐겁고 괴롭고 행복했고 힘들었습니다. 책 집필 과정이 아름답지만은 못했습니다. 다만, 시간을 돌려 동아리를 다시 선택하게 되는 날로 돌아간다 해도, 잠시 머뭇거리다 결국 다시 이 동아리를 선택할 것임이 확실하기에 시원섭섭한 이 마음을 가지고 이렇게 개연성 관리국 01의 마지막을 써 내려갑니다.

한 여고생의 도전을 함께 해주신 여러분들에게 진심 어린 감사의 인사를 드립니다. 부디 나의 이야기가 당신을 한 번이라도 즐겁게 만들었기를 바랄 뿐입니다.

게으름뱅이 여고생들과 1년을 함께 해주신 동아리 (SSM)쌈 선생님께 감사의 인사를 전하는 것으로 작가의 말을 마치겠습니다.

마감일 안 지키는 저희를 닦달하거나 혼내지 않고 항상 밝은 미소를 맞아주셨던 선생님 진심으로 감사 인사와 사죄를 전합니다. 1년 동안 동아리 시간을 보내면서 굉장히 행복한 시간을 보냈습니다. 다시 오지 않을 18살, 평생 추억하게 될 1년을 만들어 주신 것에 진심으로 감사합니다.

이 글을 읽은 모든 분께서 포근하고 따뜻한 꿈을, 즐겁고 행복한 나날만을 마주하시기를 바라며 이만 줄이겠습니다.

눈이 오는 크리스마스 날

20203년 12월 25일